Netzwerk neu

A1.1 | Kurs- und Übungsbuch
mit Audios und Videos

Stefanie Dengler
Paul Rusch
Helen Schmitz
Tanja Sieber

Ernst Klett Sprachen
Stuttgart

Autoren: Stefanie Dengler, Paul Rusch, Helen Schmitz, Tanja Sieber

Beratung und Gutachten: Henriette Bilzer (Jena), Foelke Feenders (Barcelona), Jelena Jovanovic (München), Uschi Koethe (München), Priscilla Nascimento (São Paulo), Annegret Schmidjell (Seehausen), Esther Siregar (Depok), Annekatrin Weiß (Jena)

Redaktion: Annerose Remus und Sabine Harwardt
Herstellung: Alexandra Veigel
Gestaltungskonzept: Petra Zimmerer, Nürnberg;
Anna Wanner; Alexandra Veigel
Layoutkonzeption: Petra Zimmerer, Nürnberg

Umschlaggestaltung: Anna Wanner
Illustrationen: Florence Dailleux, Frankfurt
Satz: Holger Müller, Satzkasten, Stuttgart
Reproduktion: Meyle + Müller GmbH + Co. KG, Pforzheim
Titelbild: Dieter Mayr, München

Netzwerk neu A1

Kursbuch mit Audios und Videos	607156	Lehrerhandbuch mit	
Übungsbuch mit Audios	607157	Video-DVD und Audio-CDs	607160
Kurs- und Übungsbuch mit Audios und Videos A1.1	607154	Intensivtrainer	607158
Kurs- und Übungsbuch mit Audios und Videos A1.2	607155	Testheft mit Audios	607159
		Digitales Unterrichtspaket zum Download	NP00860716101

Lösungen, Transkripte u.v.m. zum Download unter **www.klett-sprachen.de/netzwerk-neu**

In einigen Ländern ist es nicht erlaubt, in das Kursbuch hineinzuschreiben. Wir weisen darauf hin, dass die in den Arbeitsanweisungen formulierten Schreibaufforderungen immer auch im separaten Schulheft erledigt werden können.

Audio- und Videodateien zum Download unter **www.klett-sprachen.de/netzwerk-neu/medienA1**
Code Audios und Videos zum Kursbuch: NWn1h4+
Code Audios zum Übungsbuch: NWn9fh§

Zu diesem Buch gibt es Audios und Videos, die mit der Klett-Augmented-App geladen und abgespielt werden können.

Klett-Augmented-App kostenlos downloaden und öffnen | Bilderkennung starten und **Seiten mit Audios und Videos** scannen | Audios und Videos laden, direkt nutzen oder speichern

Scannen Sie diese Seite für weitere Komponenten zu diesem Titel.

Apple und das Apple-Logo sind Marken der Apple Inc., die in den USA und weiteren Ländern eingetragen sind. App Store ist eine Dienstleistungsmarke der Apple Inc. | Google Play und das Google Play-Logo sind Marken der Google Inc.

1. Auflage 1 5 4 3 | 2022 21 20

Druck und Bindung: Elanders GmbH, Waiblingen

ISBN 978-3-12-607154-3

9 783126 071543

Netzwerk neu A1

1	Aufgabe im Kursbuch		Vergleichen Sie Deutsch mit anderen Sprachen.
1	passende Übung im Übungsbuch		Recherchieren Sie oder machen Sie ein Projekt.
	Hören Sie den Text.		Im Übungsbuch lernen Sie mehr Wörter zum Thema.
	Hören Sie und üben Sie die Aussprache.		
	Sehen Sie den Film.	→•←	Sie haben zwei Möglichkeiten, wie Sie die Aufgabe im Übungsbuch lösen.
G	Sehen Sie den Film mit Erklärungen zu **G**rammatik, **R**edemitteln oder **P**honetik.		Zu dieser Aufgabe finden Sie ein interaktives Tafelbild im Digitalen Unterrichtspaket.
	Schreiben Sie einen Text.		
G	Hier lernen Sie Grammatik.	**!**	Hier lernen Sie eine Strategie oder bekommen Tipps.
	Hier lernen Sie wichtige Ausdrücke und Sätze.	**"**	Hier lernen Sie etwas über gesprochene Sprache.

1 Guten Tag! 6

grüßen und verabschieden | sich und andere vorstellen | nach dem Befinden fragen und darauf reagieren | über sich und andere sprechen | Zahlen bis 20 nennen | Telefonnummer und E-Mail-Adresse nennen | buchstabieren | über Länder und Sprachen sprechen

Wortschatz	Zahlen von 1–20	Länder und Sprachen
Grammatik	W-Frage	Aussagesatz	Verben und Personalpronomen	Personalpronomen in Texten
Aussprache	Alphabet
Strategie	E-Mail-Adresse schreiben und sagen
Landeskunde	Länder und Sprachen
Die Netzwerk-WG	Ich bin Anna.	Willkommen, Anna!	Und deine Nummer?

Übungsteil 78

2 Freunde, Kollegen und ich 16

über Hobbys sprechen | sich verabreden | Wochentage benennen | über Arbeit, Berufe und Arbeitszeiten sprechen | Zahlen ab 20 nennen | ein Formular ausfüllen

Wortschatz	Hobbys	Wochentage	Zahlen ab 20	Berufe
Grammatik	unregelmäßige Verben und Personalpronomen	Ja-/Nein-Frage	bestimmter Artikel: der, das, die	Nomen: Singular und Plural	Verben haben und sein
Aussprache	Satzmelodie: Fragen und Antworten
Strategie	Artikel lernen
Landeskunde	Neu im Club
Die Netzwerk-WG	Gehen wir zusammen?	Wo arbeitest du?

Übungsteil 90

3 In Hamburg 26

Plätze und Gebäude benennen | Fragen zu Orten stellen und antworten | Verkehrsmittel benennen | nach Dingen fragen | nach dem Weg fragen und einen Weg beschreiben | Jahreszeiten und Monate benennen | über Hobbys sprechen

Wortschatz	Plätze und Gebäude	Verkehrsmittel	Richtungen	Monate und Jahreszeiten
Grammatik	unbestimmter Artikel: ein, ein, eine	Negationsartikel: kein, kein, keine	Imperativ mit Sie	Adjektiv mit sein
Aussprache	lange und kurze Vokale
Strategie	Texte mit internationalen Wörtern verstehen
Landeskunde	Events in Hamburg	Jahreszeiten in D-A-CH
Die Netzwerk-WG	Die Stadttour in München	Entschuldigung, wo ist der Viktualienmarkt?

Übungsteil 102

Plattform 1: wiederholen und trainieren, Landeskunde: berühmte Personen, Städte in D-A-CH 36
Prüfungstraining 1: Hören Teil 1, Sprechen Teil 1 114

4 Guten Appetit!   42

einen Einkauf planen | Gespräche beim Einkauf führen | Gespräche beim Essen führen | über Vorlieben beim Essen sprechen | über Essen sprechen

Wortschatz	Mahlzeiten	Lebensmittel	Getränke	Geschäfte
Grammatik	Akkusativ	Verben mit Akkusativ	Verben mögen und möchten	Positionen im Satz
Aussprache	Umlaute ä, ö, ü
Strategie	Wörter ordnen und lernen	mit W-Fragen Texte verstehen
Landeskunde	Berufe rund ums Essen
Die Netzwerk-WG	Beas Idee	Der WG-Nachmittag

Übungsteil   118

5 Alltag und Familie   52

die Uhrzeit verstehen und nennen | Zeitangaben machen | über Familie sprechen | sich verabreden | einen Termin telefonisch vereinbaren | sich für eine Verspätung entschuldigen und darauf reagieren

Wortschatz	Tagesablauf	Uhrzeiten	Familie
Grammatik	Zeitangaben: am, um, von … bis	Possessivartikel im Nominativ und Akkusativ	Modalverben müssen, können, wollen	Modalverben im Satz: Satzklammer
Aussprache	r im Wort und am Wortende
Strategie	ein Telefongespräch vorbereiten
Landeskunde	Pünktlichkeit?
Die Netzwerk-WG	Wir gehen joggen.	Wo ist Max?	Mmh, lecker.

Übungsteil   130

6 Zeit mit Freunden   62

über Freizeit sprechen | das Datum verstehen und nennen | über Geburtstage sprechen | eine Einladung verstehen und schreiben | Essen und Getränke bestellen und bezahlen | über ein Ereignis sprechen | Veranstaltungstipps im Radio verstehen

Wortschatz	Ordinalzahlen	Freizeitaktivitäten	Essen und Getränke	Veranstaltungen
Grammatik	Datumsangaben: am …	trennbare Verben	Personalpronomen im Akkusativ mich, dich …	Präposition für + Akkusativ	Präteritum von haben und sein
Aussprache	ei, eu, au
Strategie	beim Lesen und Hören wichtige Informationen verstehen
Landeskunde	Kneipen & Co in D-A-CH	Veranstaltungen in D-A-CH
Die Netzwerk-WG	Luca hat Geburtstag.	Lucas Einladung	Essen für Bea

Übungsteil   142

Plattform 2: wiederholen und trainieren, Landeskunde: Essen in D-A-CH   72
Prüfungstraining 2: Lesen Teil 1, Schreiben Teil 1, Sprechen Teil 2   154

Anhang Grammatikübersicht **158** | unregelmäßige Verben **165** | alphabetische Wortliste **166** | thematische Wortgruppen **172** | Quellenverzeichnis **174** | Kurssprache **176**

Guten Tag!

бутерброд (~ buterbrod)
(Russisch)

1

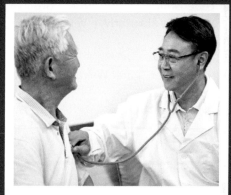

クランケ (~ kuranke)
(Japanisch)

2

otoban
(Türkisch)

3

handuk
(Indonesisch)

4

wurstel
(Italienisch)

5

nudli
(Ungarisch)

6

kindergarten
(Englisch)

7

куфар (~ kufar)
(Bulgarisch)

8

flaša
(Serbisch)

9

1 a **Deutsch international. Was gehört zusammen? Ordnen Sie zu.**

1 – F

A das Handtuch

B die Flasche

C der Koffer

D das Würstchen / das Würstel

E der Kindergarten

F das Butterbrot

G der Kranke

H die Autobahn

I die Nudeln

b Wie heißen die Wörter in Ihrer Sprache?

„Flasche" heißt auf Spanisch …

c Kennen Sie andere deutsche Wörter? Sammeln Sie und machen Sie ein Kursplakat.

Hallo! Tschüs!

1.1–3

2 a Hallo! Wer bist du? Hören Sie und lesen Sie. Wie heißen die Personen?

A

○ Hallo Nina!
● Hallo Niklas! Wie geht's?
○ Danke, sehr gut! Und dir?
● Ganz gut, danke.

△ Hallo Nina!
● Hallo Julia! Wie geht's dir?
△ Danke, gut. Und dir?
● Auch gut, danke.

△ Hallo, ich bin Julia. Und du?
  Wer bist du?
○ Ich heiße Niklas.
△ Entschuldigung, wie heißt du?
○ Niklas.

B

△ Tschüs!
● Tschüs Julia! Bis bald!
○ Ciao!

C

R1 **b Hallo und tschüs. Spielen Sie die Situationen.**

Hallo!
Wer bist du? / Wie heißt du?
Wie geht's? / Wie geht's dir?
Und dir?

Tschüs! / Ciao!

Ich heiße … / Ich bin …
Danke, sehr gut! ☺ ☺
Danke, gut! / Auch gut, danke. ☺
Ganz gut. ☹

c Kennen Sie deutsche Namen oder bekannte deutsche Personen? Sammeln Sie.

Johanna

Robin Schulz

Guten Tag! Auf Wiedersehen!

🔊 **3 a** **Guten Tag. Wie heißen Sie? Hören Sie und lesen Sie. Wie heißen die Personen?**

1.4–6

○ Guten Morgen. Mein Name ist Nina Weber.
● Guten Morgen, Frau Weber! Ich heiße Oliver Hansen.

!

Guten Morgen!

Guten Tag!

Guten Abend!

Gute Nacht!

○ Guten Tag, Frau Kowalski.
△ Guten Tag, Frau Weber. Wie geht es Ihnen?
○ Danke, gut. Und Ihnen?
△ Auch gut, danke.

● Hallo Frau Weber.
○ Hallo Herr Hansen. Das ist Frau Kowalski.
● Guten Tag, Frau Kowalski. Mein Name ist Oliver Hansen.
△ Guten Tag! Entschuldigung, wie heißen Sie?
● Oliver Hansen.

△ Auf Wiedersehen, Herr Hansen. Tschüs, Frau Weber.
● Auf Wiedersehen, Frau Kowalski.
○ Auf Wiedersehen!

b **Guten Tag. Auf Wiedersehen. Spielen Sie die Situationen.**

Guten Tag!
Mein Name ist … / Ich heiße …
Wie heißen Sie?

Wie geht es Ihnen? – Danke, gut!
Und Ihnen? – Auch gut, danke.

Das ist Frau … / Herr …

Auf Wiedersehen!

G

Verben und Personalpronomen

	heißen	sein
ich	heiß**e**	bin
du	heiß**t**	bist
Sie	heiß**en**	sind

!

du und *Sie*

informell: *du* + Vorname

Wie heißt **du**? Ich heiße **Nina**.
Wer bist **du**? Ich bin **Nina**.

formell: *Sie* + Vorname + Nachname

Wie heißen **Sie**? Mein Name ist **Nina Weber**.
Wie ist **Ihr** Name? Ich heiße **Nina Weber**.

Woher kommen Sie?

🔊 1.7 **4 a** **Lesen Sie und hören Sie. Ordnen Sie die Antworten zu.**

> *Reiseführerin – guía de turismo – tourist guide*
>
> ### S E L I N A   L A N G
>
> Deutsch Spanisch Englisch
>
> Ludwigstraße 39 – 60327 Frankfurt
> Telefon: +49 / (0)171 / 8264 731
> selina@langguide.de – www.langguide.de

1. Woher kommen Sie, Frau Lang?
2. Welche Sprachen sprechen Sie?
3. Wo wohnen Sie?

A Ich spreche Spanisch, Englisch und Deutsch.
B Ich komme aus Deutschland.
C Ich wohne in Frankfurt.

b **Variieren Sie den Dialog.**
- ○ Wie heißt du?
- ● Ich heiße Jan.
- ○ Woher kommst du?
- ● Aus Frankfurt.
- ○ Und wo wohnst du?
- ● In Zürich.

G

W-Frage			Aussagesatz		
Wie	heißt	du?	Ich heiße	Jan.	
Wo	wohnst	du?	Ich wohne	in Zürich.	
Woher	kommst	du?	Ich komme	aus Frankfurt.	

c **Lesen Sie und ergänzen Sie die Verben.**

Das ist Frau Lang. Sie ___*kommt*___ aus Deutschland. Sie _____ in Frankfurt.

Jan _____ aus Frankfurt.
Er _____ in Zürich.

G

Verben und Personalpronomen

	wohnen	kommen	sein
ich	wohne	komme	bin
du	wohnst	kommst	bist
er/sie	wohnt	kommt	ist
Sie	wohnen	kommen	sind

▶ 1–2 **5 a** **Und Sie? Machen Sie zwei Interviews wie in 4b: formell und informell. Notieren Sie.**

Guten Tag. Wie heißen Sie?

Name? _____   _____
Woher? _____   _____
Wo? _____   _____

b **Wer ist das? Stellen Sie einen Partner / eine Partnerin vor. Die anderen raten den Namen.**

Das ist Ana Cristina.

Sie kommt aus Valencia. Sie wohnt …

Zahlen und Buchstaben

6 a Die Zahlen. Hören Sie die Zahlen und sprechen Sie dann laut mit.

1.8

!
Zahlen lesen und sprechen

14
✕
vier**zehn**

0 null										
1 eins	2 zwei	3 drei	4 vier	5 fünf	6 sechs	7 sieben	8 acht	9 neun	10 zehn
11 elf	12 zwölf	13 dreizehn	14 vierzehn	15 fünfzehn	16 **sech**zehn	17 **sieb**zehn	18 achtzehn	19 neunzehn	20 zwanzig

b Hören Sie. Notieren Sie die Handynummern.

1.9–10

Herr Klein: _____   Frau Groß: _____

▶ 3 **c** Fragen Sie Ihren Partner / Ihre Partnerin nach der Telefonnummer. Notieren Sie.

Wie ist deine Telefonnummer?

Null acht …

Wie ist deine Handynummer?

7 a Das Alphabet. Hören Sie zuerst und lesen Sie dann laut mit.

1.11

aA a	bB be	cC tse	dD de	eE e	fF ef	gG ge	hH ha	iI i	jJ jot	kK ka	lL el	mM em
nN en	oO o	pP pe	qQ ku	rR er	sS es	tT te	uU u	vV fau	wW we	xX iks	yY üpsilon	zZ tset
äÄ ä	öÖ ö	üÜ ü	ß estset									

b Hören Sie das Gespräch. Notieren Sie die E-Mail-Adressen.

1.12

ruben-gonzalez@…

c Variieren Sie den Dialog.

○ Wie heißt du?
● Alexis Barbos.
○ Und wie ist deine E-Mail-Adresse?
● alexis_barbos@quinnet.com.
○ Wie bitte? Kannst du das buchstabieren?
● A L E …

!
E-Mail-Adresse sagen
Man schreibt: Man sagt:
@   ät
.   Punkt
–   minus
_   Unterstrich

Gut gesagt: Wie bitte?

1.13   Entschuldigung, noch einmal bitte.
Das verstehe ich nicht.
Bitte ein bisschen langsamer.

Länder und Sprachen

Gabriel Santos kommt aus Brasilien. Er wohnt in Deutschland, in Köln. Er spricht Portugiesisch, Deutsch und Englisch.

Olivia Miller kommt aus den USA. Sie wohnt in San Francisco. Sie spricht Englisch und Deutsch. Sie lernt Spanisch.

Alessia Conti spricht Italienisch, Französisch und Deutsch. Sie kommt aus der Schweiz und wohnt in Lugano.

8 a **Lesen Sie. Woher kommen die Personen? Wo wohnen sie? Welche Sprachen sprechen und lernen sie? Ergänzen Sie die Tabelle.**

	kommt aus …	wohnt in …	spricht …	lernt …
Olivia Miller	den USA	San Francisco	Englisch, Deutsch	Spanisch
Gabriel Santos				
Alessia Conti				
Boris Walder				
Saki Tanaka				
Kateb Brahim				

Boris Walder kommt aus
Österreich. Er wohnt in Salzburg.
Er spricht Deutsch und Englisch.
Er lernt Arabisch.

Saki Tanaka wohnt in Berlin.
Sie kommt aus Japan, aus
Tokio. Sie spricht Japanisch und
Deutsch. Sie lernt Englisch.

Kateb Brahim kommt aus
Algerien. Er spricht Arabisch,
Französisch und lernt Deutsch.
Er wohnt in Paris.

b **Ergänzen Sie Land oder Sprache.**

Deutsch | ~~Deutschland~~ | Englisch | Portugiesisch | Frankreich | Italien | Japanisch | Polen |
Russland | Spanisch | Türkisch | Arabisch | Deutsch

Land	Sprache
Deutschland	Deutsch
Österreich	
die Schweiz	Französisch, Italienisch, Rätoromanisch,
	Französisch
Brasilien	
	Italienisch
Spanien	

Land	Sprache
	Polnisch
die Türkei	
	Russisch
Algerien	
Japan	
die USA	
mein Land:	meine Sprache:

c **Sprechen Sie zu zweit. Woher kommen Sie? Welche Sprachen
sprechen Sie? Welche Sprachen lernen Sie?**

Welche Sprachen sprichst du?

Ich spreche …

Woher …?

Woher kommst du? – Aus …
aus Spanien – aus Mexiko – …
aber:
aus **der** Schweiz – aus **der** Türkei –
aus **der** Ukraine – aus **den** USA – …

d **Wie heißen die Länder aus 8b in Ihrer Sprache?**

e **Wer sind Sie? Schreiben Sie einen kurzen Text.**

Name | Land | Stadt | Sprachen

Die Netzwerk-WG

▶1 **9** *Ich bin Anna.* Sehen Sie Szene 1. Wer wohnt in der Netzwerk-WG? Kreuzen Sie an.

☐ Luca ☐ Frau Müller ☐ Anna ☐ Bea ☐ Max

▶2 **10** *Willkommen, Anna!* Sehen Sie Szene 2. Was wissen Sie über die Personen? Ordnen Sie zu.

1. Max, Bea und Luca _____	A ist an der Uni.
2. Anna ist neu. Sie _____	B kommt aus Berlin.
3. Bea _____	C kommt aus Hannover.
4. Luca _____	D kommt aus München.
5. Max ist nicht da, er _____	E wohnen in München.

▶3 **11** *Und deine Nummer?* Sehen Sie Szene 3. Notieren Sie die Handynummern von Max und Anna und den Nachnamen von Bea.

Name Max
☎ *01*

Name Anna
☎

Name *Bea K*
☎ 0154-76895321

▶1–3 **12** Was sagen die Personen? Ordnen Sie die Sprechblasen den Fotos zu. Sehen Sie dann noch einmal den ganzen Film und kontrollieren Sie.

A ☐

B ☐

C ☐

D ☐

1. Bea, das ist Anna.

2. Nein, da sind Sie hier falsch.

3. Woher kommst du denn?

4. Ah, du bist neu hier. Ich bin Luca.

5. Und wie ist deine Nummer?

E ☐

grüßen
Hallo Nina! / Hallo Niklas!
Guten Tag! / Guten Tag, Herr Hansen!
Guten Morgen! / Guten Abend!

sich und andere vorstellen
Wer bist du? / Wie heißt du?
Wie ist Ihr Name? / Wie heißen Sie?

über sich und andere sprechen
Wo wohnen Sie? / Wo wohnst du?
Woher kommen Sie? / Woher kommst du?
Welche Sprachen sprechen Sie? / Welche
  Sprachen sprichst du?
Wie ist Ihre/deine Telefonnummer?
Wie ist Ihre/deine E-Mail-Adresse?
Wer ist das?

nach dem Befinden fragen und darauf reagieren
Wie geht es Ihnen? / Wie geht's dir? / Wie geht's?

verabschieden
Tschüs! Ciao!
Auf Wiedersehen!
Gute Nacht!

Ich bin Julia. / Ich heiße Niklas.
Mein Name ist Nina Weber.
Das ist Herr/Frau …

Ich wohne in Frankfurt. / In Frankfurt.
Ich komme aus Spanien. / Aus Spanien.
Ich spreche Deutsch und Russisch.

0650 – 32 …
alexis_barbos@quinnet.com
Das ist Selina Lang.

Danke, sehr gut. ☺ ☺
Danke, gut. ☺
Ganz gut. ☺
Und Ihnen? / Und dir?

W-Frage

W-Wort	Verb	
Wer	bist	du?
Wie	heißt	du?
Woher	kommt	Frau Tanaka?
Wo	wohnen	Sie?
Welche Sprachen	sprechen	Sie?

Aussagesatz

Subjekt	Verb	
Ich	bin	Julia.
Ich	heiße	Niklas.
Sie	kommt	aus Japan.
Ich	wohne	in Zürich.
Ich	spreche	Deutsch.

Verben und Personalpronomen

	sein	heißen	kommen	wohnen
ich	bin	heiße	komme	wohne
du	bist	heißt	kommst	wohnst
er/sie	ist	heißt	kommt	wohnt
Sie	sind	heißen	kommen	wohnen

Personalpronomen in Texten

Das ist **Frau Lang**. **Sie** kommt aus Deutschland. **Sie** wohnt in Frankfurt.
Das ist **Jan**. **Er** kommt aus Frankfurt. **Er** wohnt in Zürich.

Freunde, Kollegen und ich

1. fotografieren

2. singen

6. tanzen

7. joggen

8. Musik hören

🔊 1.14–16

1 **Was machen die Leute gern? Hören Sie und notieren Sie.**

A Emily

schwimmen,

B Boris

C Eva

3. kochen

4. schwimmen

5. reisen

9. ins Kino gehen

10. lesen

2 a Was machen Sie gern? Was machen Sie nicht gern? Kreuzen Sie an.

	☺	😐	☹		☺	😐	☹
kochen	☐	☐	☐	reisen	☐	☐	☐
ins Kino gehen	☐	☐	☐	singen	☐	☐	☐
lesen	☐	☐	☐	joggen	☐	☐	☐
schwimmen	☐	☐	☐	fotografieren	☐	☐	☐
tanzen	☐	☐	☐	Musik hören	☐	☐	☐

b Arbeiten Sie zu zweit. Fragen und antworten Sie.

Hörst du gern Musik?

Gehst du gern ins Kino?

Liest du gern?

Ja, sehr gern. Und du?

Nein, nicht so gern.

Es geht so.

Meine Hobbys, meine Freunde

3 a   **Lesen Sie und ergänzen Sie die Verben.**

spielen | liest | reisen | singt | ~~koche~~ | joggen

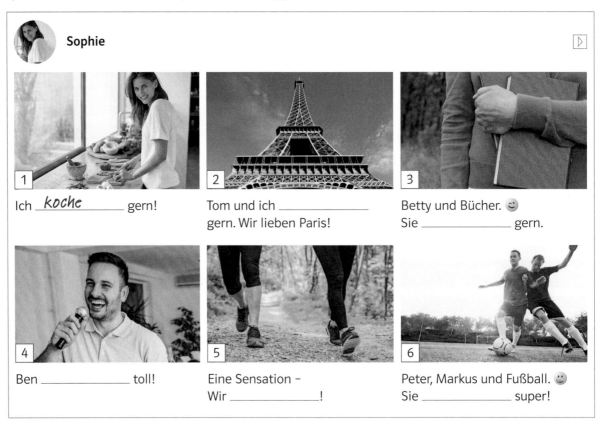

Sophie   ▷

1   Ich _koche_ gern!

2   Tom und ich _____ gern. Wir lieben Paris!

3   Betty und Bücher. 😊 Sie _____ gern.

4   Ben _____ toll!

5   Eine Sensation – Wir _____!

6   Peter, Markus und Fußball. 😊 Sie _____ super!

b   **Ergänzen Sie die Endungen. Ordnen Sie dann die Kommentare den Fotos zu.**

_4_ A **Anne**   Lustig! Sing___ du auch so gut?   ⟩

___ B **Eva**   Paris!!! ♥ Sprich___ du Französisch?

___ C **Betty**   Spiel___ sie wirklich Fußball? 😮

___ D **Kaan**   @Sophie Koch___ wir am Wochen-ende Spaghetti? Oder arbeitest du?

___ E **Ben**   @Betty Ich les___ im Moment ein Buch von Daniel Kehlmann. Und du?

___ F **Pia**   Jogg___ ihr morgen auch?

G

Verben und Personalpronomen

	kochen	arbeiten	lesen	sprech
ich	koch**e**	arbeit**e**	les**e**	sprech
du	koch**st**	arbeit**est**	lie**st**	sprich
er/es/sie	koch**t**	arbeit**et**	lie**st**	sprich
wir	koch**en**	arbeit**en**	les**en**	sprech
ihr	koch**t**	arbeit**et**	les**t**	sprech
sie/Sie	koch**en**	arbeit**en**	les**en**	sprech

c   **Arbeiten Sie zu dritt. Person A nennt ein Verb im Infinitiv, Person B nennt ein Personalpronomen (*ich, du* ...). Person C nennt die Form. Dann nennt Person C ein anderes Verb.**

kochen | schwimmen | tanzen | reisen | singen | joggen | fotografieren | gehen | lesen | wohnen | heißen | kommen | sprechen

singen   *ihr*   *ihr singt*

d   **Und Sie? Was machen Sie gern? Sprechen Sie mit fünf Personen und notieren Sie die Hobbys.**

Was machst du gern?   Sven: joggen ...

Gehen wir ins Kino?

4 a **Hören Sie das Gespräch. Wann gehen Sophie und Betty ins Kino?**
1.17

Montag	Dienstag	Mittwoch	Donnerstag	Freitag	Samstag	Sonntag

Am ...

b **Wie heißen die Wochentage in Ihrer Sprache? Notieren Sie in 4a.**

c **Satzmelodie: Fragen und Antworten. Hören Sie und sprechen Sie nach.**
1.18

1. ○ Gehen wir ins Kino? ↗   ● Ja, gern. ↘

2. ○ Gehen wir am Sonntag? ↗   ● Nein, das geht leider nicht. ↘

3. ○ Wann gehen wir? ↘   ● Am Montag. ↘

4. ○ Was machen wir am Montag? ↘   ● Wir gehen ins Kino. ↘

5 a **Lesen Sie den Dialog zu zweit. Achten Sie auf die Satzmelodie.**

○ Gehen wir ins Kino?
● Ja, gern. Wann?
○ Am Samstag?
● Nee, das geht leider nicht.
○ Am Mittwoch?
● Ja, super.

1.19

Gut gesagt: Nein!
Man sagt für „nein"
oft „nee" oder „nö", in
Bayern und Österreich
„na".

b **Spielen Sie Dialoge wie in 5a. Gehen Sie durch den Kursraum und machen Sie für jeden Tag eine Verabredung mit einer anderen Person. Notieren Sie Ihre Termine.**
▶ 4

Ja-/Nein-Frage
○ **Gehen** **wir** ins Kino?
● Ja. / Nein.

ins Restaurant

ins Café

ins Schwimmbad

ins Stadion

ins Theater

ins Museum

Montag: Pedro – Theater
Dienstag: ...

Mein Beruf

6 a Was passt zu den Berufen A–D? Ordnen Sie zu. Es gibt mehrere Möglichkeiten.

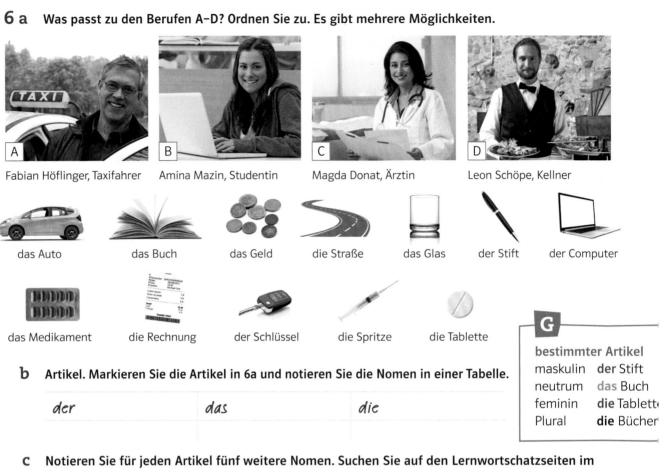

Fabian Höflinger, Taxifahrer   Amina Mazin, Studentin   Magda Donat, Ärztin   Leon Schöpe, Kellner

das Auto   das Buch   das Geld   die Straße   das Glas   der Stift   der Computer

das Medikament   die Rechnung   der Schlüssel   die Spritze   die Tablette

b Artikel. Markieren Sie die Artikel in 6a und notieren Sie die Nomen in einer Tabelle.

der	das	die

G

bestimmter Artikel	
maskulin	**der** Stift
neutrum	**das** Buch
feminin	**die** Tablette
Plural	**die** Bücher

c Notieren Sie für jeden Artikel fünf weitere Nomen. Suchen Sie auf den Lernwortschatzseiten im Übungsbuch von Kapitel 1 und 2. Vergleichen Sie im Kurs.

7 a Lesen Sie die Texte. Ergänzen Sie dann die Berufe aus 6a.

A Ich bin _____ und ich bin 22 Jahre alt. Ich habe pro Woche 24 Stunden Seminare und Kurse, von Montag bis Freitag. Die Universität ist sehr groß: 25.000 Studenten und Studentinnen! Am Nachmittag lerne ich und am Samstag arbeite ich im Kino.

B Ich bin _____ und arbeite in zwei Restaurants. Ich arbeite pro Woche 46 Stunden, meistens am Abend und am Wochenende. Aber ich habe zwei Tage frei: Montag und Dienstag.

C Ich bin _____ bei „Taxi-Zentral". Ich fahre 68.000 Kilometer pro Jahr – und lese 100 Bücher. Ich warte viel und lese! Am Freitag habe ich frei.

D Ich bin _____ und arbeite in einem Krankenhaus. Das Krankenhaus hat 480 Zimmer, hier arbeiten 920 Ärzte und Krankenpfleger und wir haben Platz für 1.250 Patienten. Wir arbeiten auch nachts und am Wochenende.

🔊 1.20

b Unterstreichen Sie alle Zahlen in den Texten in 7a. Welche Zahl passt zu welchem Wort? Notieren Sie. Hören Sie dann und sprechen Sie nach.

a zweiundzwanzig _____
b vierundzwanzig _____
c sechsundvierzig _____
d (ein)hundert _____
e vierhundertachtzig _____

f neunhundertzwanzig _____
g (ein)tausendzweihundertfünfzig _____
h fünfundzwanzigtausend _____
i achtundsechzigtausend _____

!

Zahlen ab zwanzig

45

fünf**und**vierzig

c Arbeiten Sie zu zweit. Partner A sammelt Informationen aus Text A und B. Partner B sammelt Informationen aus Text C und D. Notieren Sie.

	Was ist er/sie von Beruf?	Wann arbeitet er/sie?	Wann hat er/sie frei?
Amina Mazin			
Leon Schöpe			
Fabian Höflinger			
Magda Donat			

d Präsentieren Sie Ihre Personen. Ihr Partner / Ihre Partnerin notiert.

8 a Pluralformen. Lesen Sie die Texte in 7a noch einmal. Notieren Sie die Pluralformen.

Singular	der Kilometer	der Arzt	die Stunde	das Buch	das Restaurant
Plural	*die Kilometer*				
Endung					

▶ G1 **b** Markieren Sie die Pluralendungen in 8a. Welche Endungen gibt es? Ordnen Sie zu.

(¨)-er   (¨)-e   -s   (¨)-   -(e)n

> **!** Lernen Sie Nomen immer mit Artikel und Plural.

c Schreiben Sie sieben Lernkarten mit Artikel und Plural. Üben Sie dann zu zweit.

der Arzt ↺ die Ärzte

9 a Welche Berufe sind das? Ordnen Sie zu. Kennen Sie noch andere Berufe?

Informatiker/in | Ingenieur/in | Lehrer/in | Verkäufer/in | Architekt/in | Friseur/in

> **!** der Informatiker ♂
> die Informatikerin ♀

A   B   C   D   E   F

▶ 5 **b** Fragen Sie Ihren Partner / Ihre Partnerin und machen Sie Notizen. Berichten Sie dann im Kurs.

> Was sind Sie von Beruf / Was bist du von Beruf?
> Wann arbeiten Sie? / Wann arbeitest du?
> Wann haben Sie frei? / Wann hast du frei?
>
> Ich bin Studentin/Ingenieur/…
> Ich studiere …
> Ich arbeite am …
> Ich habe am … frei. / Ich arbeite am … nicht.

G	sein	haben
ich	bin	habe
du	bist	hast
er/es/sie	ist	hat
wir	sind	haben
ihr	seid	habt
sie/Sie	sind	haben

Marc: Ingenieur …   *Marc ist Ingenieur. Er …*

 c Mein Beruf. Schreiben Sie einen Text wie in 7a.

Artikel lernen

10 a Wörterbücher. Sehen Sie die Beispiele an. Wo steht der Artikel, wo der Plural? Markieren Sie mit zwei Farben.

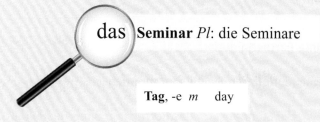

Krankenhaus das; -(e)s, ¨er
ein Gebäude, in dem Kranke untersucht und behandelt werden und längere Zeit bleiben

Buch <-[e]s, *Bücher*> [buːx, pl ˈbyːçɐ] SUBST *nt*

Kilometer *der*; – Maßeinheit für tausend Meter, km

das **Seminar** *Pl*: die Seminare

Tag, -e *m*   day

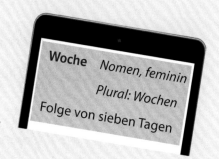

Woche   Nomen, feminin
Plural: Wochen
Folge von sieben Tagen

b Schreiben Sie die Nomen in die Tabelle.

der (maskulin)	das (neutrum)	die (feminin)
	Krankenhaus	

11 a Das Artikelbild. Schreiben Sie die Wörter mit Artikel in die Zeichnung.

das Buch | die Studentin | die Universität | der Computer | das Restaurant | der Kellner | die Rechnung | der Arzt | die Patientin | das Krankenhaus | das Taxi | der Taxifahrer | der Schlüssel

! Merken Sie sich
die Artikel mit
Farben:
der = blau
das = grün
die = rot

b Machen Sie ein eigenes Artikelbild.

Neu im Club

12 a **Persönliche Angaben. Was passt zusammen? Notieren Sie.**

Nachname/Familienname	Miller
Vorname	New York
Geburtsdatum	Jonathan
Geburtsort	0171-12085614
Adresse	Goethestr. 7, 10711 Berlin
Telefonnummer/Handynummer	01.04.1994

Vorname: Jonathan

b **Sportclub „Fit". Wählen Sie einen Kurs und ergänzen Sie dann das Formular mit Ihren Informationen.**

Sportclub Fit — Kurse

Basketball	Fußball	Karate	Tennis	Yoga	Zumba
Dienstag und Donnerstag 19–21 Uhr	Mittwoch 20–21:30 Uhr	Montag 18:30–20 Uhr	Samstag 15–17 Uhr	Freitag 18–20 Uhr	Montag und Mittwoch 10–11 Uhr

Sportclub „Fit" – Anmeldung

☒

Vorname	_____
Familienname	_____
Geschlecht	☐ weiblich ☐ männlich ☐ keine Angabe
Geburtsdatum	___ . ___ . ___
E-Mail	_____
Telefonnummer	+ _____
Adresse: Straße, Hausnummer Postleitzahl, Wohnort	_____ _____
Schule/Firma	_____
Kurs	_____
Tag	_____

Die Netzwerk-WG

▶4 **13 a** *Gehen wir zusammen?* **Sehen Sie Szene 4. Was macht Anna gern? Was macht Max gern? Sprechen Sie im Kurs.**

Max spielt gern Computer.

b **Sehen Sie die Szene noch einmal. Wann gehen Anna und Max schwimmen?**

c **Arbeiten Sie zu zweit. Variieren Sie den Dialog und spielen Sie.**

○ Was machst du gern?
● Ich mache gern Sport.
○ Spielst du gern Fußball?
● Nein. Ich spiele gern Tennis und ich jogge.
○ Joggen ist super. Gehen wir zusammen?
● Ja, gern. Wann?
○ Am Mittwoch?
● Nein, das geht leider nicht.
○ Und am Freitag?
● Ja, am Freitag ist gut.

▶5 **14 a** *Wo arbeitest du?* **Sehen Sie Szene 5. Was sind Luca und Anna von Beruf?**

Ingenieur/in   Arzt/Ärztin   Friseur/in   Student/in   Kellner/in   Krankenpfleger/in

b **Sehen Sie die Szene noch einmal. Wer macht was? Kreuzen Sie an.**

1. ☐ Er ☐ Sie arbeitet im Krankenhaus.
2. ☐ Er ☐ Sie studiert.
3. ☐ Er ☐ Sie joggt gern.
4. ☐ Er ☐ Sie arbeitet nachts.
5. ☐ Er ☐ Sie macht ein Praktikum.
6. ☐ Er ☐ Sie arbeitet heute am Nachmittag.

über Hobbys sprechen

Was machen Sie gern? / Was machst du gern?	Ich reise gern. ☺
Hören Sie gern Musik? / Hörst du gern Musik?	Ja, sehr gern. ☺ ☺
Gehen Sie gern ins Kino? / Gehst du gern ins Kino?	Nein, nicht so gern. ☹
Lesen Sie gern? / Liest du gern?	Es geht so. ☺

sich verabreden

Gehen wir ins Kino?	Ja, gern.
Wann gehen wir ins Kino?	Am Montag.
Am Freitag?	Nein, das geht (leider) nicht. / Ja, super.

über Arbeit, Berufe und Arbeitszeiten sprechen

Was sind Sie von Beruf? / Was bist du von Beruf?	Ich bin Studentin/Ingenieur/…
Was machen Sie? Was machst du?	Ich studiere …
Wann arbeiten Sie? / Wann arbeitest du?	Ich arbeite am …
Wann haben Sie frei? / Wann hast du frei?	Ich habe am … frei. / Ich arbeite am … nicht.

Zahlen ab 20

21 einundzwanzig	30 dreißig	1.000 (ein)tausend
22 zweiundzwanzig	40 vierzig	3.000 dreitausend
23 dreiundzwanzig	50 fünfzig	4.520 viertausendfünfhundertzwanzig
24 vierundzwanzig	60 sechzig	10.000 zehntausend
25 fünfundzwanzig	70 siebzig	74.300 vierundsiebzigtausenddreihundert
26 sechsundzwanzig	80 achtzig	100.000 (ein)hunderttausend
27 siebenundzwanzig	90 neunzig	500.000 fünfhunderttausend
28 achtundzwanzig	100 (ein)hundert	1.000.000 eine Million
29 neunundzwanzig	200 zweihundert	1.000.000.000 eine Milliarde

Verben und Personalpronomen

	kochen	arbeiten	lesen	sprechen	sein	haben
ich	koche	arbeite	lese	spreche	bin	habe
du	kochst	arbeitest	liest	sprichst	bist	hast
er/es/sie	kocht	arbeitet	liest	spricht	ist	hat
wir	kochen	arbeiten	lesen	sprechen	sind	haben
ihr	kocht	arbeitet	lest	sprecht	seid	habt
sie/Sie	kochen	arbeiten	lesen	sprechen	sind	haben

Ja-/Nein-Frage

○ Gehen	**1** **wir 2**	ins Kino?
● Ja. / Nein.		

bestimmter Artikel

maskulin	**der** Stift
neutrum	**das** Buch
feminin	**die** Tablette
Plural	**die** Bücher

Nomen: Singular und Plural

(¨)-	der Kilometer	→ **die** Kilometer
-(e)n	die Stunde	→ **die** Stunde**n**
(¨)-e	der Tag	→ **die** Tag**e**
	der Arzt	→ **die** Ärzt**e**
(¨)-er	das Buch	→ **die** B**ü**ch**er**
-s	das Auto	→ **die** Auto**s**

In Hamburg

A.

B.

Die Elbphilharmonie ist der Star in Hamburg.
Bauzeit: 9 Jahre (2007 bis 2016)
Kosten: 866 Millionen Euro
Im ersten Jahr (2017) 4,5 Millionen Besucher und 600 Konzerte.

In 8 Stunden nach Warschau, in 6 Stunden nach München, in 5 Stunden nach Kopenhagen, in 2 Stunden nach Berlin. Jeden Tag fahren hier 720 Züge.

1 a Eine Stadttour in Hamburg. Hören Sie. Ordnen Sie die Stationen den Fotos zu.

1.21–25

b Lesen Sie die Texte. Was ist das? Ordnen Sie die Wörter zu.

der Bahnhof | der Hafen | das Konzerthaus | die Kirche | das Rathaus

c Lesen Sie und ergänzen Sie die Zahlen.

Rathaus: über _____ Jahre alt, Turm _____ Meter hoch

Elbphilharmonie: Kosten: _____ Euro, im Jahr 2017 _____ Konzerte

Hafen: _____ Schiffe pro Jahr, fahren in _____ Länder

Michel: Platz für _____ Menschen, Turm _____ Meter hoch

Bahnhof: _____ Züge pro Tag, in _____ Stunden nach Berlin

3

C 1

der Hafen

12.000 Schiffe pro Jahr!
Bis zum Meer sind es von
Hamburg circa 100 km. Die
Schiffe fahren auf dem Fluss
Elbe. Die Schiffe fahren in
175 Länder.

D

Der Michel ist das Symbol
von Hamburg. Hier ist Platz für
2.500 Menschen.
Der Turm ist 132 m hoch. Da sieht
man den Hafen.

E

Es ist über 120 Jahre alt und
111 Meter breit. Der Turm in der
Mitte ist 112 Meter hoch.

d Sammeln Sie Informationen und Zahlen über Ihre Stadt oder Ihren Ort.
Machen Sie eine Ausstellung im Kurs.

Lissabon

510.000 Menschen

Hafen:
über 10 km lang, Platz für 1.100 Schiffe

Ponte Vasco da Gama:
Brücke über 17 km lang

Die Taxifahrt

2 a **Der Weg zum Hotel. Hören Sie. Welche Orte nennt der Taxifahrer? Kreuzen Sie an.**

1.26

1. Bahnhof ☐
2. Hafen ☐
3. Fluss ☐
4. Konzerthaus ☐
5. Rathaus ☐
6. Kirche ☐

1.27

Gut gesagt: grüßen
So sagt man auch
für „Guten Tag" in
Deutschland,
Österreich und der
Schweiz (D-A-CH):

Moin!

D

Grüß Gott!

Grüezi!

CH

A

▶ 6 **b** **Lesen Sie das Gespräch. Zeichnen Sie den Weg in den Plan. Ist Ihre Lösung in 2a richtig?**

○ Guten Tag. Zum Hotel „Michel" bitte.
● Moin. Hotel „Michel", okay.
  Kennen Sie Hamburg?
○ Nein.
● Na, das ist der Bahnhof.
○ Ah ja.
● Und das hier rechts ist die Kunsthalle.
  Das ist ein Museum.
○ Interessant. Und wie heißt der See?

● See? Das ist kein See, das ist ein Fluss.
  Der Fluss heißt Alster.
○ Ach so. Und was ist das? Ist das eine Kirche?
● Nein, das ist das Rathaus.
○ Ah ja.
● Hier ist eine Kirche. Das ist die
  Michaeliskirche. Wir sagen „der Michel".
○ Ah, sehr schön.
● Und da ist auch schon das Hotel.

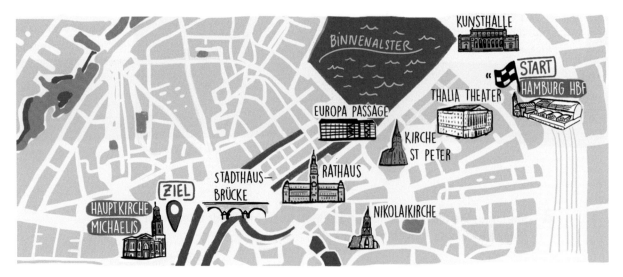

c **der, das oder die? Suchen Sie die Nomen in 2b und ergänzen Sie.**

1. _der_ Bahnhof   3. _____ Kunsthalle   5. _____ Hotel   7. _____ See

2. _____ Rathaus   4. _____ Fluss   6. _____ Kirche

3 **Artikel. Sammeln Sie Nomen aus
Kapitel 1–3. Bilden Sie drei Gruppen:
Gruppe der, Gruppe das, Gruppe die.
Eine Person nennt ein Nomen, die
Gruppe mit dem passenden Artikel
steht auf und sagt den Artikel.**

Auto

das Auto

4 a ein, ein, eine oder der, das, die? Ergänzen Sie die Artikel.

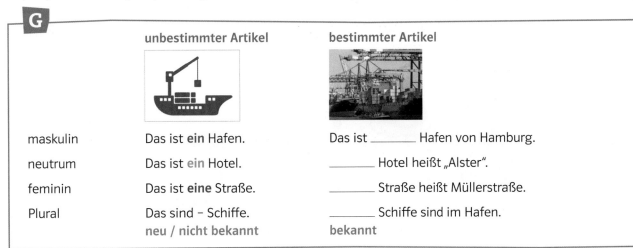

	unbestimmter Artikel	bestimmter Artikel
maskulin	Das ist **ein** Hafen.	Das ist _____ Hafen von Hamburg.
neutrum	Das ist **ein** Hotel.	_____ Hotel heißt „Alster".
feminin	Das ist **eine** Straße.	_____ Straße heißt Müllerstraße.
Plural	Das sind – Schiffe.	_____ Schiffe sind im Hafen.
	neu / nicht bekannt	bekannt

b Was ist das? Ergänzen Sie die bestimmten und unbestimmten Artikel.

 1. Das ist ___*ein*___ Theater.

 ___*Das*___ Theater heißt Thalia Theater.

 2. Das ist _____ Bahnhof.

 _____ Bahnhof heißt Hamburg-Altona.

 3. Das ist _____ Brücke.

 _____ Brücke heißt „Köhlbrandbrücke".

 4. Das sind _____ Häuser.

 _____ Häuser sind 400 Jahre alt.

c Was ist das? Schreiben Sie Sätze.

Café | Kunsthalle | Kirche | Hotel | Kino | Turm

 1. 2. 3. 4. 5. 6.

1. Das ist ein Café.

5 a Vokale. Lang oder kurz? Hören Sie die Wörter und markieren Sie _ für lang und ˌ für kurz.

1.28

a oder ạ: ạlt – Jahr – Hafen – Star – lang – fahren – man
e oder ẹ: zehn – Weg – See – gern – elf – Herr – sehr
i oder ị: Schiff – Mitte – sieben – Kirche – wie – bitte – hier
o oder ọ: hoch – Kosten – von – pro – Sonntag – Ort – Montag
u oder ụ: Fluss – gut – Turm – Zug – Stunde – Buch – Fußball

Vor einem doppelten Konsonant (*ff, nn, …*)
ist der Vokal immer kurz: *Schịff, Flụss, …*

b Hören Sie noch einmal. Langer Vokal: Kreisen Sie die Arme. Kurzer Vokal: Klopfen Sie auf den Tisch.

1.29

Kein Glück?!

6 a   Eine Bildgeschichte. Wo passen die Wörter? Zeigen Sie.

der Bus | das Fahrrad | die U-Bahn | zu Fuß gehen

b   Welches Bild passt? Ordnen Sie zu.

1. _____ Oh, nein! Keine Fahrkarte?!

2. _____ Ach nee, kein Bus. Also schnell!
Wo ist die U-Bahn?

3. _A_ Oje, kein Fahrrad! Schnell, da ist ein Bus!

4. _____ Heute kein Test! So ein Glück!

5. _____ Ich gehe zu Fuß. Jetzt aber schnell!

c   Ist das ...? Schreiben Sie.

1.   ○ Ist das ein Bus?
      ● Nein, das ist ...

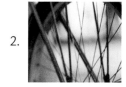

2.   ○ Ist das ein Auto?
      ● Nein, das ist ...

3.   ○ Ist das eine Kirche?
      ● Nein, ...

> **G**
>
> **Negationsartikel**
>
> | maskulin | der | ein | **kein** | Bus |
> |----------|-----|-----|---------|-----|
> | neutrum | das | ein | **kein** | Fahrrad |
> | feminin | die | eine | **keine** | U-Bahn |
> | Plural | die | – | **keine** | Autos |

4.   ○ Sind das Busse?
      ● Nein, ...

5.   ○ Sind das Konzertkarten?
      ● Nein, ...

1. Nein, das ist kein Bus, das ist eine U-Bahn.

Links, rechts, geradeaus

🔊 **7 a** **Wegbeschreibungen. Hören Sie. Was suchen die Personen? Notieren Sie.**

1.30–32

das Hotel | die Kirche | das Rathaus | das Theater | die U-Bahn

Gespräch 1: _____ Gespräch 2: _____ Gespräch 3: _____

b **Hören Sie noch einmal. Welche Wegbeschreibung passt? Ordnen Sie zu.**

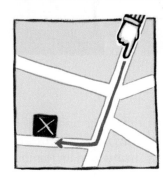  

links ←
geradeaus ↑
rechts →

▶ R2 **c** **Arbeiten Sie zu zweit. Spielen Sie Dialoge.**

💬

Entschuldigung, wo ist bitte …? Das ist ganz einfach. Gehen Sie rechts/
links/geradeaus und dann … Da ist …

Also hier rechts/links/geradeaus
und dann …? Ja. / Ja, genau.
Vielen Dank. Bitte, gern.

G

Imperativ mit *Sie*

gehen **Gehen Sie** links!

fahren **Fahren Sie** geradeaus!

▶ 7 **8** **Nach dem Weg fragen. Spielen Sie zu zweit. Jede/r würfelt zweimal: das erste Mal für den Start, das zweite Mal für das Ziel.**

	⚀	⚁	⚂	⚃	⚄	⚅
Start	A	B	C	D	E	F
Ziel	das Hotel	der Bahnhof	der Hafen	der Park	die U-Bahn	der Markt

Beispiel: ⚁ und ⚃: Start → B; Ziel → der Park

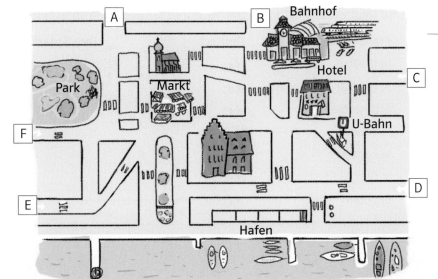

Entschuldigung, wo ist der Park?

*Gehen Sie rechts und dann
geradeaus. Da ist der Park.*

Vielen Dank!

Events in Hamburg

A

B

C

Veranstaltungstipps   ☒

_____ **Hamburger Theater-Festival 12.–18. Okt.**

Zum Festival kommen deutschsprachige Theater aus Deutschland, Österreich und der Schweiz. In diesem Jahr zeigen die Schaubühne Berlin, das Wiener Burgtheater, das Deutsche Theater Berlin und das Theater Basel ihre Produktionen. Tickets gibt es im Thalia Theater und im Hamburger Schauspielhaus ab 12,50 Euro.

www.hamburger-theaterfestival.de

_____ **Orchester aus aller Welt zu Gast in Hamburg, 25. Okt.**

Das Orchestre des Champs-Élysées ist am 25.10. Gast in der Elbphilharmonie. Das Orchester spielt das Requiem von Wolfgang Amadeus Mozart. Es singen der Chor Collegium Vocale aus Gent und vier bekannte Solisten. Philippe Herreweghe dirigiert das Konzert. 20:00 Uhr, ab 29 Euro

www.elbphilharmonie.de

_____ **Kino für alle, Hamburg 27.9.–6.10.**

40.000 Filmfans sehen an 10 Tagen über 100 Filme, deutsche und internationale Produktionen. Regisseure und Schauspieler kommen gern nach Hamburg. Regisseur Fatih Akın präsentiert dem Publikum seinen neuen Film.

www.filmfesthamburg.de

---

9 a Theater – Musik – Film. Lesen Sie die Texte. Ordnen Sie die Fotos zu.

b Welche Wörter sind in Ihrer Sprache oder in anderen Sprachen ähnlich? Markieren Sie.

c Schreiben Sie die Wörter auf Deutsch und in Ihrer Sprache. Hören Sie dann und sprechen Sie nach.

1.33

Englisch	Französisch	Deutsch	Ihre Sprache
the theater	le théâtre	das	
the festival	le festival	das	
the orchestra	l'orchestre	das	
the choir	le choeur	der	
the concert	le concert	das	
the film	le film	der	
the audience	le public	das	

d Welches Event finden Sie interessant?

Jahreszeiten in D-A-CH

10 a Notieren Sie die Monate auf Deutsch und in Ihrer Sprache.

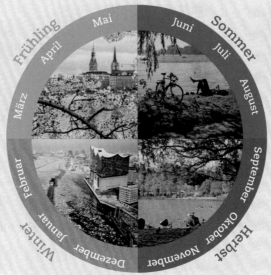

1	2	3	4	5	6
Januar					

7	8	9	10	11	12
		September			

b Welche Jahreszeit sehen Sie auf den Fotos? Notieren Sie.

A _____ C _____

B _____ D _____

c Hören Sie. Was machen die Leute? Wann machen sie das? Notieren Sie.

1.34–37

ins Museum gehen | schwimmen | Fahrrad fahren | reisen

Was?	Wann?
1. _____	*im* _____
2. _____	*im* _____
3. _____	*im* _____
4. _____	*im* _____

d Arbeiten Sie zu zweit mit dem Wörterbuch. Was machen Sie wann? Machen Sie ein Plakat zu den Jahreszeiten. Präsentieren Sie es im Kurs.

Die Netzwerk-WG

▷6 **11 a** *Die Stadttour in München.* **Wohin fahren Luca und Anna? Sehen Sie Szene 6 und nummerieren Sie die Stationen.**

b **Was passt zu welchem Foto? Ordnen Sie zu. Drei Überschriften passen nicht.**

A die Theatinerkirche

B das Museum „Haus der Kunst"

C der Hauptbahnhof

D der Chinesische Turm

E der Englische Garten

F das Müller'sche Volksbad

G der Viktualienmarkt

H der Olympiapark

I der Eisbach mit Surfern

12 a **Zahlen, Zahlen, Zahlen. Sehen Sie Szene 6 noch einmal. Ergänzen Sie die Zahlen im Text.**

25 | 1969–1972 | 375 | 1901 | 3,5 | 137 | 1792

Seit (1) _____ gibt es den Englischen Garten. Der Park ist sehr groß: (2) _____

Hektar. Riesig, oder? Jedes Jahr kommen über (3) _____ Millionen Besucher. Der Chinesische

Turm im Englischen Garten ist (4) _____ m hoch.

Das Müller'sche Volksbad ist direkt neben der Isar. Das Bad gibt es seit (5) _____.

Das Olympiastadion ist toll. Bauzeit: (6) _____ Kosten: (7) _____ Millionen D-Mark.

b **Recherchieren Sie: Welche Konzerte und Veranstaltungen gibt es bald im Olympiapark? Wohin möchten Sie gerne gehen?**

▷7 **13** *Entschuldigung, wo ist der Viktualienmarkt?* **Sehen Sie Szene 7. Ordnen Sie die Ausdrücke in die richtige Reihenfolge und beschreiben Sie den Weg.**

Gehen Sie _____ vor dem Marienplatz nach links

_____ durch das Isartor

_____ immer geradeaus

_____ die Straße bis zum Isartor

Dann sehen Sie den Viktualienmarkt.

Fragen zu Orten stellen und antworten

Was ist das?	Das ist der Hafen / eine Kirche / …
Ist das eine Kirche?	Ja. / Ja, das ist die Michaeliskirche.
Ist das ein Hotel?	Nein, das ist das Rathaus / …

nach Dingen fragen

Ist das ein Bus / ein Auto / eine U-Bahn?	Ja, das ist ein/eine …
	Nein, das ist kein/keine …

nach dem Weg fragen und einen Weg beschreiben

(Entschuldigung.) Wo ist bitte …?	Das ist ganz einfach. Gehen Sie rechts/links/ geradeaus und dann … Da ist …
Also, hier rechts/links/geradeaus und dann …?	Ja. / Ja, genau.
Vielen Dank.	Bitte. / Bitte, gern.

Artikel

	unbestimmt	bestimmt	Negationsartikel
	ein, ein, eine	**der, das, die**	**kein, kein, keine**
maskulin	Das ist **ein** Hafen.	Das ist **der** Hafen von Hamburg.	Das ist **kein** Bahnhof.
neutrum	Das ist ein Hotel.	**Das** Hotel heißt „Linde".	Das ist kein Rathaus.
feminin	Das ist **eine** Brücke.	**Die** Brücke heißt „Alsterbrücke".	Das ist **keine** Straße.
Plural	Das sind – Schiffe.	**Die** Schiffe sind im Hafen.	Das sind **keine** Autos.
	neu / nicht bekannt	bekannt	

Imperativ mit *Sie*

gehen	**Gehen**	**Sie**	links.
fahren	**Fahren**	**Sie**	rechts.

Das Verb im Imperativ steht auf Position 1.

Adjektiv mit *sein*

Der Turm **ist** 112 Meter **hoch**.
Der Hafen **ist groß**.

Wiederholungsspiel

1   Spielen Sie zu dritt oder zu viert.

Das ist Fiona Forlan. Sie kommt aus Berlin.

1 Stellen Sie einen Mitspieler / eine Mitspielerin vor.

2 Frau Kowalski geht. Was sagen die Personen?

Würfeln Sie.

Lösen Sie die Aufgabe.

Richtig? → Der/Die nächste Spieler/in würfelt.

Falsch? → Gehen Sie ein Feld zurück.

Würfeln Sie noch einmal.

Start

13 Sagen Sie *Am Montag* als Frage (?) und als Aussagesatz (.).

12 Lesen Sie und ergänzen Sie die Zahlen. 25, 26, …, 28, 29, …, 31, 32, …, 34, 35, …

11 @ Sagen Sie Ihre E-Mail-Adresse.

aA	bB	cC	dD	eE	fF	gG	hH	iI	jJ	kK	lL	mM
a	be	tse	de	e	ef	ge	ha	i	jot	ka	el	em

nN	oO	pP	qQ						kX	yY	zZ
en	o	pe	ku						iks	üpsilon	zet

äÄ	öÖ	üÜ	ß
ä	ö	ü	eszet

14 Buchstabieren Sie Ihren Familiennamen.

15

16 Was macht Niklas gern? Was nicht?
☺ Musik hören
☹ schwimmen

Felix Giehse
Taxi „Kommsofort"
Kieler Str. 29, 22522 Hamburg
040 / 13927428
www.kommsofort.eu

27 Stellen Sie die Person vor. Wie heißt die Person? Wo wohnt sie? Was ist ihr Beruf?

26 Was macht Lara?

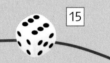

25 Ergänzen Sie. Ben … super.

28 Fragen Sie Ihren Partner / Ihre Partnerin. … Sie/du gern?

29 Lang oder kurz? Sprechen Sie.
Ha**f**en – Ha**ll**o
w**o**hnen – k**o**mmen
Schi**ff** – si**e**ben

Montag

30 Wie heißen die Wochentage?

Ergänzen Sie *lesen*. `3`
Betty … gern.
Peter und Markus … nicht gern.
Und du? … du gern?

Ergänzen Sie. `4`
Herr Höflinger ist Taxifahrer.
Er … pro Jahr 68.000 Kilometer.
Er … von Samstag bis Donnerstag. Am Freitag hat er …

Sprechen Sie dreimal schnell. `5`
Am Montag kommt Olaf nach Oslo.

Nennen Sie den Plural. `6`
ein Arzt, 3 …
ein Tag, 4 …
ein Buch, 45 …

Antworten Sie. `7`
○ Entschuldigung, wo ist das Hotel „Alster"?
● Gehen Sie ↑, dann ↱ und dann wieder ↱.

Ergänzen Sie die Monate. `10`
Januar, …, März, …, Mai, Juni, …, August, …, Oktober, …, …

Ergänzen Sie. `9`
Die Elbe ist ein … in Hamburg. Im Hamburger Hafen gibt es viele …

Ergänzen Sie. `8`
Das ist der … von Hamburg. Jeden Tag fahren hier 700 …

Ergänzen Sie die Artikel. `17`
… See, … Stadt,
… Rathaus

Antworten Sie. `18`
○ Was ist das?
● Das sind …

Antworten Sie. `19`
○ Ist das ein Theater?
● Nein, das ist … Theater, das ist …

 `20`

Welche Sprachen spricht man in … `24`
– Österreich?
– Polen?
– Spanien?
– Brasilien?

Ergänzen Sie die Personalpronomen. `23`
… sprichst, … heiße, … ist, … kommen

Nennen Sie drei Berufe. `22`

Welche Sprachen sprechen Sie? `21`

Ziel

Wie heißen die Verkehrsmittel? `31`
Nennen Sie auch die Artikel.

Was ist das? `32`
Das ist … und …
Das sind …

Mi	Do
Schwimmbad	Café

Fragen Sie. `33`
Gehen wir am …?

Mit Buchstaben spielen

2 Mein Buchstabe. Ein Spieler / Eine Spielerin notiert auf einem Zettel einen Buchstaben. Die anderen nennen Wörter. Der Lehrer / Die Lehrerin schreibt die Wörter an die Tafel.
Ist der Buchstabe im Wort? Der Spieler / Die Spielerin ruft „Ja!" Ist der Buchstabe nicht im Wort?
Der Spieler / Die Spielerin ruft „Nein!" und der Lehrer / die Lehrerin streicht das Wort. Wer findet den Buchstaben?

3 a *a, e, i, o, u* – Spiel mit Vokalen. Welche Vokale fehlen? Schreiben Sie die Wörter.

1. N ... M ...
   Name
2. M ... N T ... G
   _____

3. H ... R ... N
   hören
4. G ... H ... N
   _____

5. L ... N D
   _____
6. H ... T ... L
   _____

7. K ... C H ... N
   _____
8. T ... X ...
   _____

b Die Vokale sind falsch. Wie heißt das Wort richtig?

1. der Wog   _der Weg_

2. das Jihr   _____

3. der Buhnhef   _____

4. der Bas   _____

5. das Boch   _____

6. die A-Behn   _____

c Arbeiten Sie zu zweit. Schreiben Sie je drei Wörter wie in 3a und 3b auf einen Zettel. Tauschen Sie die Zettel mit einem anderen Paar. Welches Paar kann alle lösen?

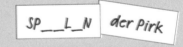

SP___L_N   der Pirk

4 Zeichnen Sie ein Bild im linken Feld. Arbeiten Sie zu zweit. Diktieren Sie dem Partner / der Partnerin die Zahlen. Er/Sie verbindet die Zahlen im rechten Feld. Was ist es?

1	2	3	4	5	6	7	8	9	10
11	12	13	14	15	16	17	18	19	20
21	22	23	24	25	26	27	28	29	30
31	32	33	34	35	36	37	38	39	40
41	42	43	44	45	46	47	48	49	50
51	52	53	54	55	56	57	58	59	60
61	62	63	64	65	66	67	68	69	70
71	72	73	74	75	76	77	78	79	80
81	82	83	84	85	86	87	88	89	90
91	92	93	94	95	96	97	98	99	100

1	2	3	4	5	6	7	8	9	10
11	12	13	14	15	16	17	18	19	20
21	22	23	24	25	26	27	28	29	30
31	32	33	34	35	36	37	38	39	40
41	42	43	44	45	46	47	48	49	50
51	52	53	54	55	56	57	58	59	60
61	62	63	64	65	66	67	68	69	70
71	72	73	74	75	76	77	78	79	80
81	82	83	84	85	86	87	88	89	90
91	92	93	94	95	96	97	98	99	100

Personen-Memo

5 a **Welche Personen haben den gleichen Beruf? Finden Sie die Paare.**

1 Christoph Waltz ist aus Österreich und in Hollywood populär – er hat auch schon zwei Oscars. Er ist Theater- und Film-Schauspieler und lebt in Berlin, London und Los Angeles.

5 Felix Jaehn ist DJ. Er studiert ein Jahr lang Musik in London. Der Remix von „Cheerleader" ist ein Hit. Er arbeitet oft mit anderen Musikern. Sein erstes Album heißt „I".

2 Anke Engelke wohnt in Köln. Sie macht Comedy und ist sehr lustig. Sie singt auch und spielt in Filmen. Anke Engelke spricht Marge Simpson auf Deutsch.

6 Laura Dahlmeier hat 16 Medaillen zu Hause. Sie ist Biathletin. Sie trainiert sehr viel. Sie liebt die Berge und die Natur. Ihre Hobbys sind Klettern, Mountainbiken und Skitouren.

3 Yvonne Catterfeld singt und macht Musik. Sie spielt auch in Filmen und Serien. Aktuell ist für sie Musik besonders wichtig. Sie hat ein eigenes Label: Veritable Records.

7 Abdelkarim ist in Bielefeld geboren und seine Eltern kommen aus Marokko. Er macht Comedy und hat im Fernsehen eine Show: die StandUpMigranten.

4 Er spielt rechts – und das perfekt. Roger Federer ist Tennisspieler und gewinnt viele Turniere. Er wohnt mit seiner Frau und seinen Kindern in Basel.

8 Birgit Minichmayr ist ein Star aus Österreich. Sie spielt in Filmen und in vielen Theatern: in Hamburg, Berlin, München und Wien. Sie lebt in Wien und Berlin.

b **Welche bekannten Deutschen, Österreicher oder Schweizer kennen Sie noch? Sammeln Sie im Kurs.**

c **Wählen Sie eine Person wie in 4b. Recherchieren Sie und schreiben Sie einen kurzen Text. Bringen Sie auch ein Foto mit. Hängen Sie Ihre Texte im Kursraum auf.**

Mick Schumacher ist ein Formel–2–Fahrer. Er ist Europameister und berühmt. Er lebt …

Städte in D-A-CH

6 a **Quiz: Sehen Sie die Karte von Deutschland, Österreich und der Schweiz vorne im Buch an. In welchem Land sind die Städte? Was sind die Hauptstädte?**

Berlin | Bern | Genf | Graz | Köln | Leipzig | Linz | Lugano | München | Salzburg | Wien | Zürich

Zürich ca. 410.000 Einwohner

Viele Leute denken an Banken und Geld

Die Stadt liegt direkt an einem See. Er ist 40 Kilometer lang. Eine Rundfahrt mit dem _____ dauert 1,5 Stunden.

Wien ca. 1,9 Millionen Einwohner

Die Hauptstadt von Österreich

Der Stephansdom ist eine _____ im Stadt-Zentrum. Sie ist sehr schön und das Dach hat viele Farben.

Graz ca. 286.000 Einwohner

Die Stadt ist klein, die Uni groß

Der _____ mit der Uhr ist fast 800 Jahre alt. Er ist 28 Meter hoch und das Symbol von Graz.

Leipzig ca. 600.000 Einwohner

Musik und Literatur

Das Gewandhaus ist ein Konzerthaus in der Stadt. Die Akustik ist sehr gut. Hier ist Platz für 1.900 _____.

Köln über 1 Million Einwohner

Karneval und mehr

Eine _____ mit Aussicht. Hier fahren jeden Tag 1.220 Züge über den Rhein. Und der Bahnhof ist direkt neben dem Dom.

Genf ca. 200.500 Einwohner

Hier sprechen alle Französisch

Der „Jet d'Eau" – die Wasserfontäne im _____ – ist sehr bekannt. Sie ist 140 Meter hoch.

b Lesen Sie die Texte und ergänzen Sie die Wörter.

Besucher | Kirche | See | Brücke | Schiff | Turm

🔊 **c** Hören Sie drei Personen. Wo sind die Leute? Notieren Sie.
1.38–40

Beatrice _____

Laurin _____

Pia _____

d Wählen Sie eine Stadt in D-A-CH und recherchieren Sie (Einwohnerzahl und zwei Informationen). Stellen Sie Ihren Ort kurz vor.

Guten Appetit!

Frühstück

die Banane

der Orangensaft

das Müsli

der Joghurt

der Tee

die Milch

der Käse

die Marmelade

das Ei

das Brötchen

Mittagessen

der Apfelsaft

die Kartoffeln

das Salz

der Pfeffer

das Gemüse

das Wasser

der Essig

das Öl

die Cola

das Fleisch

1 a Lebensmittel. Welche Wörter kennen Sie auf Deutsch? Verbinden Sie.

„Banane" heißt auf Russisch „banan".

b Welche Wörter sind in Ihrer Muttersprache ähnlich? Sammeln Sie im Kurs.

2 a Beim Einkaufen. Hören Sie. Welches Foto passt?

1.41–44

die Bäckerei
Gespräch _____

der Markt
Gespräch _____

die Metzgerei
Gespräch _____

der Supermarkt
Gespräch _____

4

Kaffee und Kuchen

der Kaffee

der Kuchen

die Sahne

die Schokolade

der Keks

der Zucker

Abendessen

die Butter

das Brot

die Tomate

die Gurke

der Salat

die Suppe

die Wurst

der Schinken

b **Hören Sie noch einmal. Welche Wörter hören Sie? Kreuzen Sie an.**

☐ der Schinken ☐ die Kartoffeln ☐ die Marmelade ☐ der Kuchen ☐ die Milch ☐ die Banane
☐ das Fleisch ☐ das Brot ☐ die Wurst ☐ das Brötchen ☐ der Apfel ☐ der Käse

c **Geschäfte: Wo kaufen Sie die Lebensmittel aus 2b? Ordnen Sie zu und vergleichen Sie.**

in der Bäckerei	auf dem Markt	in der Metzgerei	im Supermarkt
das Brot		die Wurst	das Brot

Ich kaufe Brot in der Bäckerei.

Kommt ihr?

**3 a Die Einladung. Lesen Sie die Nachricht.
Welche Antwort passt?**

> Wir grillen heute Abend bei uns.
> Kommt ihr?

> Wo seid ihr? Wir warten schon –
> das Essen ist gleich fertig. | A |

> Gern. Wir kommen und kaufen
> Fleisch. Bis später! | B |

> Danke für die Einladung. Wir haben
> morgen keine Zeit. 😖 Aber vielleicht
> am Wochenende? | C |

🔊 1.45
📄

**b Mario und Elena planen eine Grillparty. Hören und
lesen Sie das Gespräch. Schreiben Sie die Einkaufszettel für Mario und Elena.**

○ Wir machen den Salat und kaufen die Getränke. Und Katrin und
Lukas kaufen das Fleisch und die Würstchen.
● Okay. Was brauchen wir noch für den Salat? Haben wir alles?
○ Moment … Salat haben wir. Ähm, wir brauchen Tomaten, Eier, Öl
und eine Gurke. Ach, und Käse! Wir haben keinen Käse mehr.
Hm … ah! Getränke, wir haben auch keine Getränke.
● Gut. Ich gehe zum Markt und kaufe die Eier, die Tomaten und die
Gurke. Und ein Brot kaufe ich auch. Der Käse ist da so teuer.
Kaufst du den Käse im Supermarkt?
○ Ja, stimmt. Ich gehe zum Supermarkt und kaufe Käse, Öl und
die Getränke.
● …

Mario: Käse, …
Elena: Eier, …

c Hören Sie noch einmal. Was machen Mario und Elena nach dem Einkauf?

d Akkusativ. Unterstreichen Sie die Artikel in 3b. Ergänzen Sie die Tabelle.

G

Nominativ	Akkusativ				
Der Käse ist gut.	Ich kaufe **den** Käse.	*den*	**ein**en	_____	Käse
Das Brot ist gut.	Ich kaufe **das** Brot.	_____	_____	**kein**	Brot
Die Gurke ist gut.	Ich kaufe **die** Gurke.	_____	_____	**keine**	Gurke
Die Tomaten sind gut.	Ich kaufe **die** Tomaten.	_____	–	**keine**	Tomaten

👥⁺
▶8

4 Zusammen essen. Arbeiten Sie zu viert. Wer macht was?

– Was brauchen Sie für das Essen?
Schreiben Sie einen Einkaufszettel.
– Wer kauft was?
– Wer kocht?

*Wir kochen eine Suppe. Wir
brauchen Tomaten und Fleisch. Ich
kaufe die Tomaten und Anna …*

G

Verben mit Akkusativ

	brauchen	eine Gurk...
	haben	keinen Kä...
Wir	machen	einen Sal...
	kochen	keine Sup...
	essen	das Fleisc...
	kaufen	die Geträ...

🔊💬 1.46
▶P1

5 a Umlaute *ä – ö – ü*. Hören Sie und sprechen Sie nach.

Apfel – **Ä**pfel, Saft – S**ä**fte, Brot – Br**ö**tchen, Markt – M**ä**rkte
Wir kaufen M**ü**sli zum Fr**ü**hstück. – Ich kaufe Br**ö**tchen in der B**ä**ckerei. –
Wir brauchen **Ö**l, K**ä**se, Gem**ü**se und Getr**ä**nke.

🔊💬 1.47

b Hören Sie ein Wort mit Umlaut? Stehen Sie auf. Sprechen Sie dann die Wörter nach.

Einkaufen im Supermarkt

🔊 **6 a** **Hören Sie und lesen Sie die Dialoge. Welches Bild passt?**

1.48–52

A

1. _____
   ○ Entschuldigung, ich brauche einen Euro für den Einkaufswagen.
     Können Sie wechseln, bitte?
   ● Ja, Moment – hier bitte.
   ○ Danke.

B

2. _____
   ○ Entschuldigung, was kostet
     der Apfelsaft?
   ● 99 Cent.
   ○ Und wie viel kostet der Orangensaft?
   ● 1,09 Euro.

> **!**
>
> **Preise sprechen**
> 0,99 Euro → neunundneunzig Cent
> 1,09 Euro → ein Euro neun
> 2,20 Euro → zwei Euro zwanzig

3. _____
   ● Wer kommt dran?
   ○ Ich, bitte.
   ● Was möchten Sie?
   ○ Ich möchte ein Stück Emmentaler, bitte.
   ● Sonst noch etwas?
   ○ Ja, ich nehme noch 150 Gramm Schinken.
   ● Ist das alles?
   ○ Ja, danke.

C

4. _____
   ○ Entschuldigung, wo finde ich Reis?
   ● Dort rechts.
   ○ Danke.

D

E

5. _____
   ○ Ich brauche noch eine Tüte, bitte.
   ● Hier bitte. Die kostet 35 Cent.
   ○ Wie bitte? 35 Cent? Das ist aber teuer! Also gut …
   ● Das macht dann 18,65 Euro. Brauchen Sie den Kassenzettel?
   ○ Ja, bitte.

b **Spielen und variieren Sie die Dialoge in 6a.**

👤⁺ **c** **Recherchieren Sie die Preise für drei bis fünf Lebensmittel in D-A-CH und berichten Sie.**

Die Grillparty

◄)) **7 a**   **Schmeckt's? Hören Sie und lesen Sie die Dialoge. Welches Foto passt?**
1.53–55

1. _____
○ Guten Appetit!
● Danke, gleichfalls!
△ Schmeckt's?
▲ Mmh, ja, das Fleisch
   schmeckt sehr gut!

2. _____
○ Möchtet ihr noch ein
   Würstchen?
△ Ja, gerne, die Würstchen sind
   wirklich lecker.
○ Und du, Lukas?
▲ Nein, danke, ich bin satt.

3. _____
○ Möchtest du Salat?
● Nein, danke. Ich esse keine
   Gurken.

▷9   **b**   **Spielen Sie Dialoge.**

Guten Appetit!	Danke, gleichfalls!
Möchtet ihr (noch) …?	Ja, bitte. … schmeckt/schmecken sehr gut.
Möchtest du (noch) …?	Ja, gerne. … ist/sind sehr lecker. Nein, danke. Ich esse keinen/ kein/keine … Nein, danke. Ich bin satt.

◄)) 1.56

Gut gesagt: Beim Essen

Prost!   Zum Wo

Guten Appetit!

Mahlzeit!

◄)) **8 a**   **Wer möchte was? Hören Sie und ergänzen Sie.**
1.57–59

1. Der Mann möchte ein _____.

2. Die Frau trinkt gern _____.

3. Der Mann möchte keine _____.

G

möchten			
ich	möcht**e**	wir	möch
du	möcht**est**	ihr	möch
er/es/sie	möcht**e**	sie/Sie	möch

b   **Was essen und trinken Sie gern? Machen Sie ein Interview mit Ihrem Partner / Ihrer Partnerin und berichten Sie.**

?	☺	☹
Essen/Trinken Sie gern …? Isst/Trinkst du gern …?	Ja, sehr gern.	Nein, nicht so gern.
Was essen Sie / isst du gern? Was trinken Sie / trinkst du gern?	Ich esse/trinke gern …	Ich esse/trinke nicht gern …

Frühstück, Mittagessen, Abendessen

9 a Eine Umfrage: „Was essen Sie?" Arbeiten Sie zu dritt. Jede/r liest einen Text und macht Notizen.

Was essen Sie?

Maria, Nikolaj und Lina Hepp

Wir frühstücken morgens zusammen. Mein Mann und ich essen Brot mit Käse oder Schinken. Lina isst Müsli mit Milch.
Am Mittag isst Lina im Kindergarten und Nikolaj isst in der Arbeit nur ein Brötchen. Ich esse in der Kantine oft Nudeln oder eine Suppe.
Nachmittags esse ich manchmal ein Stück Schokolade.
Abends um sieben essen wir dann alle zusammen: Wir mögen gerne Fisch oder Fleisch mit Gemüse und Reis oder Kartoffeln. Und wir trinken gern Saft und Wasser.

Von Montag bis Freitag frühstücke ich nur schnell und allein: Ich bin schon um halb sechs wach. Vormittags esse ich dann oft noch einen Joghurt. Aber am Wochenende essen wir zusammen. Zum Frühstück mag ich sehr gerne Obst: Äpfel, Birnen oder Bananen. Obst schmeckt gut und ist gesund. Lars mag Brötchen mit Marmelade.
Mittags essen wir meistens nichts. Am Nachmittag mögen wir gern Kuchen und abends essen wir oft Brot, Salat oder eine Suppe.

Lars und Ben Geiger

Emma Baumeister

Zum Frühstück esse ich zwei Brötchen mit Butter, Käse und Wurst. Am Wochenende frühstücke ich am Morgen nicht – ich schlafe lang. Mittags kaufe ich einen Döner oder eine Pizza. Ich habe nur wenig Zeit und esse allein. Am Abend koche ich oft Fisch, manchmal mache ich auch Sushi. Ich mag asiatisches Essen, lecker!

> **G**
>
> **mögen**
>
> | ich | **mag** | wir | mög**en** |
> |---|---|---|---|
> | du | **magst** | ihr | mög**t** |
> | er/es/sie | **mag** | sie/Sie | mög**en** |
>
> Ich esse gern Schokolade. =
> Ich mag Schokolade.

Wer?	morgens	vormittags	mittags	nachmittags	abends
Maria Hepp	Brot mit Käse oder Schinken		Nudeln,		
Nikolaj Hepp			Brötchen		

b Was essen und trinken die Personen? Erzählen Sie.

Morgens mag Lina …   *Maria isst mittags …*

> **G**
>
> **Positionen im Satz**
>
> | Lina | **isst** | morgens | Müsli. |
> |---|---|---|---|
> | Morgens | **isst** | Lina | Müsli. |

 c Was essen Sie wann? Schreiben Sie einen Text wie in 9a.

> Zum Frühstück esse ich …
> Vormittags / Am Vormittag …
> Mittags mag ich …
>
> Nachmittags / Am Nachmittag trinke/esse ich gern …
> Abends / Am Abend mag ich (gern) …
> Ich trinke/esse oft …

Wörter lernen

10 a Eine Mindmap machen. Arbeiten Sie in Gruppen und machen Sie Plakate.

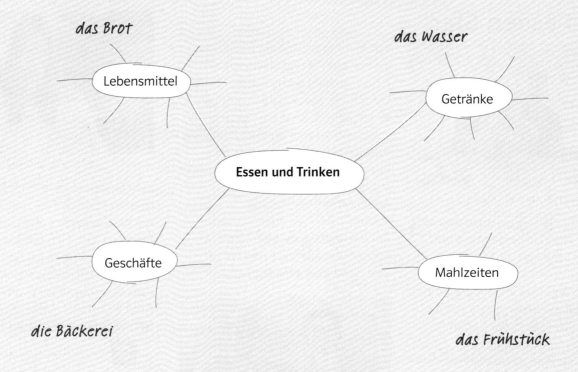

b Wörter in Paaren lernen. Welche Wörter stehen oft zusammen? Ergänzen Sie. Finden Sie eigene Paare zum Thema „Essen"?

das Brot und _die Brötchen_ der Kaffee und _____

das Salz und _____ Obst und _____

der Essig und _____ Essen und _____

c Was passt für Sie zusammen? Bilden Sie Wortgruppen. Vergleichen Sie im Kurs.

der Abend | alt | die Arbeit | der Beruf | bitte | danke | essen | der Film | Frau | hallo | Herr | das Hobby | das Kino | links | Montag | der Morgen | neu | rechts | Sonntag | trinken | tschüs | die Woche | das Wochenende

> der Morgen – der Abend die Arbeit – der Beruf – das Hobby

> Wochenende – Sonntag – das Hobby – der Film – ...

Wörter lernen
Lernen Sie Wörter mit vielen Methode
- in thematischen Gruppen/Mindmap
- in Paaren
- Sammeln Sie: Was fällt Ihnen zu einem Wort ein? (freie Assoziatione

Berufe rund ums Essen

11 **Koch am Bodensee. Lesen Sie den Text und die Fragen. Markieren Sie die Informationen im Text und beantworten Sie dann die Fragen.**

1. **Wo** arbeitet Max Schmidt?
2. **Was** macht er auf dem Markt?
3. **Was** macht er im Restaurant?
4. **Wie** findet er seinen Beruf?
5. **Wann** arbeitet er?

> !
>
> **Wichtige Informationen in Texten verstehen**
> W-Fragen helfen:
> Wer? Was? Wann?
> Wo? Wie?

Max Schmidt arbeitet im Restaurant ...

Berufswahl leicht gemacht – von A–Z

☒

| Bäcker | Hotelfachfrau | Koch | Kellner | Landwirt |

Max Schmidt und sein Chef planen zusammen das Essen für die Woche. Dann geht Max Schmidt auf den Markt. Er kauft Tomaten, Champignons und Salat. Kartoffeln und
5 Zwiebeln braucht er auch. Dann kauft er noch frischen Fisch. Max Schmidt arbeitet seit zwei Jahren als Koch im Restaurant „Esszimmer" in der Altstadt von Konstanz. Da gibt es jeden Tag ein anderes
10 Fischgericht: Fische frisch aus dem Bodensee.

Zurück im Restaurant wäscht, schält und schneidet er das Gemüse. Der Chef bereitet den Fisch zu. Paula, eine Kollegin,
15 macht das Dessert. Max mag seine Arbeit. Er sagt: „Kochen ist mein Beruf, aber auch mein Hobby."

„Ich arbeite gern in einem kleinen Team und die Kollegen
20 sind sehr nett. Kochen ist auch sehr kreativ – das macht viel Spaß. Ich probiere gerne neue Gerichte. Oft haben wir viele Gäste. Das ist dann echt stressig!

25 Und die Arbeitszeiten sind nicht toll. Ich arbeite normalerweise von 6 bis 15 Uhr oder von 13 bis 22 Uhr. Am Wochenende arbeite ich abends oft noch länger. Das ist natürlich nicht so schön. Ich habe nicht viel Freizeit und wenig Zeit für meine Freunde."

Die Netzwerk-WG

▷ 8 **12 a** *Beas Idee.* Sehen Sie Szene 8. Was will die WG am Nachmittag machen? Ergänzen Sie.

Bea, Anna, Max und Luca wollen zusammen _____.

b Anna und Luca gehen in den Supermarkt. Sehen Sie die Szene noch einmal. Welcher
Einkaufszettel passt?

A	B	C
Kaffee	Zucker	Zucker
Milch	Eier	Eier
Mehl	Mehl	Mehl
Eier	Äpfel	Brot
Zucker	Butter	Müsli
Orangensaft	Orangensaft	Orangensaft
Cola	Cola	Cola
Sahne	Sahne	Sahne

c Und was kaufen Anna und Luca? Ergänzen Sie.

1. Ä _ _ _ _   3. T _ _ _ _ _ _   5. S _ _ _ _ _ _ _

2. B _ _ _ _ _   4. eine G _ _ _ _   6. K _ _ _

▷ 9 **13 a** *Der WG-Nachmittag.* Sehen Sie Szene 9 und bringen Sie die Fotos in die richtige Reihenfolge.

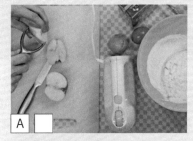 A ☐

 B ☐

 C ☐

 D ☐

 E ☐

 F *1*

b Was passiert? Ordnen Sie die Sätze den Fotos zu und lesen Sie die Sätze zu zweit in der richtigen
Reihenfolge.

_B5_ 1. Alle trinken Kaffee und essen Kuchen.

_____ 2. Bea und Max machen einen Apfelkuchen.

_____ 3. Max findet Mehl und Zucker.

_____ 4. Max braucht Eier. Er geht zu Frau Müller.

_____ 5. Anna und Luca kommen mit Kuchen
nach Hause. Jetzt haben sie zu viel
Apfelkuchen.

_____ 6. Max bringt Frau Müller ein Stück
Kuchen.

c Sie möchten Ihren Lieblingskuchen backen. Was brauchen Sie? Notieren Sie.

Gespräche beim Einkauf führen

Bitte? Was möchten Sie?	Ich möchte …, bitte. Haben Sie …?
Sonst noch etwas?	Ja, ich brauche noch … / Nein, danke.
Ist das alles?	Ja, danke. / Nein, ich nehme bitte noch …
Wo finde ich …? / Wo gibt es …?	Dort rechts/links/geradeaus.
Was kostet/kosten …? / Wie viel kostet/kosten …?	Das kostet … / Sie kosten …
Können Sie wechseln?	Ja, Moment.

Gespräche beim Essen führen

Guten Appetit!	Danke, gleichfalls!
Möchtest du noch …? / Möchten Sie noch …?	Ja, bitte. … schmeckt/schmecken sehr gut.
	Ja, gerne. … ist/sind sehr lecker.
	Nein, danke. Ich esse keinen/kein/keine …
	Nein, danke. Ich bin satt.

über Vorlieben beim Essen sprechen

Essen/Trinken Sie gern …? / Isst/Trinkst du gern …?	Ja, sehr gern. / Nein, nicht so gern.
Was essen Sie / isst du (nicht) gern?	Ich esse/trinke (nicht) gern …
Was trinken Sie / trinkst du (nicht) gern?	Ich mag … (sehr/nicht) gern.
	Ich mag keinen/kein/keine …

über Essen sprechen

Zum Frühstück trinke/esse ich …	Nachmittags / Am Nachmittag trinke/esse ich gern …
Vormittags / Am Vormittag trinke/esse ich …	Abends / Am Abend mag ich (gern) …
Mittags mag ich …	Ich trinke/esse oft …

unregelmäßige Verben

	essen	mögen	möchten
ich	esse	mag	möchte
du	isst	magst	möchtest
er/es/sie	isst	mag	möchte
wir	essen	mögen	möchten
ihr	esst	mögt	möchtet
sie/Sie	essen	mögen	möchten

Positionen im Satz

Lina	**isst**	morgens	Müsli.
Morgens	**isst**	Lina	Müsli.

Das **Verb** steht auf Position 2.
Das **Subjekt** steht vor oder nach dem Verb.

Artikel

	Nominativ	Akkusativ
maskulin	**der/ein/kein** Käse	**den/einen/keinen** Käse
neutrum	**das/ein/kein** Brot	**das/ein/kein** Brot
feminin	**die/eine/keine** Gurke	**die/eine/keine** Gurke
Plural	**die/–/keine** Tomaten	**die/–/keine** Tomaten

Verben mit Akkusativ

	brauchen	eine Gurke.
	haben	keinen Käse.
	machen	einen Salat.
	kochen	keine Suppe.
Wir	**essen**	das Fleisch.
	kaufen	die Getränke.
	nehmen	den Schinken.
	mögen	Schokolade.
	möchten	ein Würstchen.

Alltag und Familie

A ☐

B ☐

1 a Was macht Kaan? Ordnen Sie die Fotos den Sätzen zu.

1. Kaan geht in die Mensa. _____

2. Kaan trifft Marie. _____

3. Er fährt in die Uni. _____

4. Kaan duscht. _____

5. Er lernt in der Bibliothek. _____

6. Er besucht seine Oma. _____

7. Kaan frühstückt und liest Nachrichten. _____

🔊
1.60–66

**b Wann macht Kaan was? Hören Sie und nummerieren Sie die Fotos.
Erzählen Sie.**

*Am Morgen duscht Kaan. Dann
frühstückt er und liest. ...*

🔊
1.67

2 a Was macht Kaan am Sonntag? Hören Sie das Gespräch und markieren Sie.

Zeitung lesen   mit der Familie zu Mittag essen   lange schlafen   Fußball spielen

Freunde treffen   lernen   Oma besuchen   Pizza essen   Marie treffen

in den Supermarkt gehen   ins Kino gehen   am Computer arbeiten

Lernen
Wissen

E ☐ D ☐ C ☐ F ☐ G ☐

b   Arbeiten Sie zu zweit und sprechen Sie abwechselnd.

Am Sonntag schläft Kaan lange.

Er ...

3 a   Und Ihr Tag? Erzählen Sie. Die anderen raten: Ist das am Wochenende oder nicht?

*Morgens trinke ich einen Kaffee und esse Müsli
mit Obst. Dann gehe ich ins Büro ...*

Das ist nicht am Wochenende!

**b   Montag, Dienstag, Mittwoch ... Mein Tag. Machen Sie fünf Fotos zu einem Tag und schreiben Sie zu
jedem Foto einen Satz. Präsentieren Sie in Gruppen.**

Mein Samstag ist super: Ich frühstücke und ...

Wie spät ist es?

 4 a **Die Uhrzeiten. Hören Sie die Gespräche und ordnen Sie die Bilder zu.**

1.68–71

A ☐   B ☐   C 1   D ☐

b **Ordnen Sie die Uhrzeiten den Bildern zu.**

fünf vor zwei: _____   halb sieben: _____   zwanzig vor acht: _A_   zehn nach neun: _____

5 a **Wie spät ist es? Fragen und antworten Sie.**

Wie spät ist es? /
Wie viel Uhr ist es?
14:45 Uhr
inoffiziell
Es ist Viertel vor drei.
offiziell
Es ist vierzehn Uhr fünfundvierz

Wann?
Um Viertel vor drei.
Um vierzehn Uhr fünfundvierzig

 1.    2.    3.    4.

b **Uhrzeit offiziell. Wann? Hören Sie und notieren Sie die Uhrzeit.**

1.72–76

1. um _13:10_   3. um _____   5. um _____

2. um _____   4. um _____

c **Wie sagt man die Uhrzeiten in Ihrer Sprache? Vergleichen Sie.**

▶ 10–11 **6** **Wann …? – Um … Notieren Sie fünf Fragen. Arbeiten Sie dann zu zweit. Fragen und antworten Sie.**

Wann frühstückst du?   *Um Viertel nach sieben. Wann fährst du ins Büro?*   *Um …*

Familie und Termine

7a Sehen Sie den Kalender von Familie Dobart an. Ergänzen Sie die Sätze.

		Florian	Lena	Hannes	Mara
2	Fr	9:00 Dr. Schwarz	Mathe-Test!!	17.20 Friseur	Arbeit 9:00 - 17:00
3	Sa	11:00 Spiel	14:00 Geburtstag Sara	Mutter!!!	Arbeit 7:00 - 14:00
4	So	~~Spiel 16:30~~ Onkel Michi besuchen	Onkel Michi	Hamburg	Arbeit 7:00 - 14:00
5	Mo	16:15 Training	17:00 Geige	Hamburg	
6	Di	16:30 Trompete	Englisch-Test!	Hamburg	19:30 Annalisa

1. Hannes ist ... in Hamburg.
2. Mara arbeitet ...
3. Florian hat ... kein Spiel.
4. Lena hat ... Geigenunterricht.
5. Mara trifft ... Annalisa.

1. Hannes ist von Sonntag bis Dienstag in Hamburg.

> **G**
>
> **Wann?**
> **am** Montag, **am** Vormittag ...
> **um** drei Uhr, **um** Viertel nach vier
> **Wie lange?**
> **von** Sonntag **bis** Dienstag
> **von** 9 **bis** 17 Uhr

b Hören Sie das Gespräch. Sind die Sätze richtig oder falsch? Kreuzen Sie an und ergänzen Sie.

1.77

	richtig	falsch
1. Mara Dobart telefoniert mit der Musikschule.	☐	☐
2. Die Tochter Lena ist am Montag bis 19:00 Uhr in der Schule.	☐	☐
3. Der Sohn Florian kommt am Dienstag zum Trompetenunterricht.	☐	☐
4. Florian ist krank und bleibt zu Hause.	☐	☐

die Eltern: *der Vater* ————•————————•———— *die Mutter*

die Kinder: ————————— ←————————→ —————————

8 a Mara Dobart beschreibt ihre Familie. Ergänzen Sie.

Ich bin Ärztin und habe zwei Kinder. *Meine* _____ Kinder gehen hier

in Frankfurt in die Schule. _____ Sohn Florian ist 12,

_____ Tochter Lena ist 14. _____ Mann heißt Hannes.

Er ist Techniker. Am Wochenende besuche ich oft _____

Bruder. Er ist verheiratet und wohnt auch in Frankfurt. _____

Schwester sehe ich leider nicht so oft. Sie ist ledig und wohnt in Kiel.

> **G**
>
> Possessivartikel: *mein, meine*
>
> | | **Nominativ** | **Akkusativ** |
> |---|---|---|
> | der | **mein** Sohn | **meinen** Sohn |
> | das | **mein** Kind | **mein** Kind |
> | die | **meine** Tochter | **meine** Tochter |
> | die | **meine** Kinder | **meine** Kinder |

b Schreiben Sie einen Text wie in 8a über Ihre (Fantasie-)Familie.

9 „r" hören. Wo hören Sie „r", wo hören Sie „ᵃ"? Kreuzen Sie an. Wie ist die Regel?
Hören Sie dann noch einmal und sprechen Sie nach.

1.78

hören ☐r ☐a   Vater ☐r ☐a   treffen ☐r ☐a   Schwester ☐r ☐a   Trompete ☐r ☐a

Tochter ☐r ☐a   krank ☐r ☐a   Uhr ☐r ☐a   Büro ☐r ☐a   Computer ☐r ☐a

Regel: „-r" oder „-er" am Wortende spricht man: ☐r ☐a

www.dobart.de

10 a **Die Homepage von Familie Dobart. Ordnen Sie die Sätze den Fotos zu.**

Hannes und sein Motorrad. | Mara und ihr Sport. | Der Computer ist mein Hobby. |
Lena und ihre Geige. | Unser Hund Otto liebt seinen Ball. | Unsere Familie – alle zusammen.

b **Das Gästebuch. Lesen Sie die Einträge und ergänzen Sie die Possessivartikel.**

Pfote Hey Lena,
euer Hund Otto ist süß! Ich habe zwei Mäuse, Mimi und Momo
🐁🐁, und mein Bruder hat einen Hamster🐹, Charlie.

User 76 Hallo Hannes,
ich mag dein Motorrad, echt cool! Wann machen wir eine Tour
zusammen? Auch euer Familienfoto ist sehr schön.

Anna Hallo Mara, hallo Hannes, toll: Lena und ihre Geige! Wie lange
spielt sie schon? Unsere Tochter Nadine spielt jetzt Saxofon,
seit 4 Wochen. 🙂

G

Possessivartikel:

ich	_____ /e
du	_____ /e
er	sein/e
es	sein/e
sie	_____ /e
wir	_____ /e
ihr	*euer* /eur
sie	ihr/e
Sie	Ihr/e

c **Arbeiten Sie zu dritt oder zu viert. Jede/r schreibt fünf Karten mit einem Personalpronomen und fünf Karten mit einem Nomen plus Artikel. Machen Sie zwei Stapel: einen mit den Pronomen und einen mit den Nomen. Ziehen Sie abwechselnd zwei Karten und bilden Sie Sätze.**

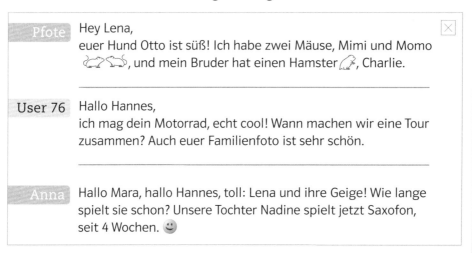

er | *das Fahrrad* | *Das ist sein Fahrrad.*

Die Verabredung

11 a Stress! Lesen Sie die E-Mail. Markieren Sie die Modalverben *können*, *müssen* und *wollen*. Unterstreichen Sie dann die anderen Verben.

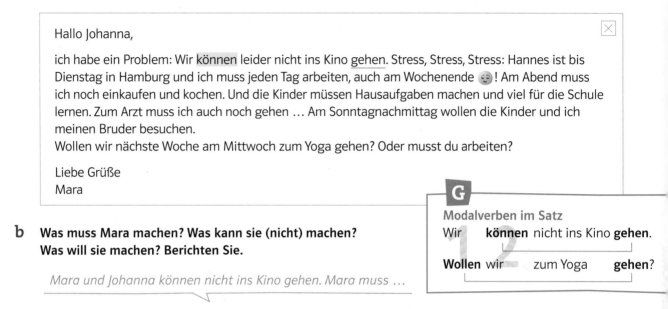

Hallo Johanna,

ich habe ein Problem: Wir können leider nicht ins Kino gehen. Stress, Stress, Stress: Hannes ist bis Dienstag in Hamburg und ich muss jeden Tag arbeiten, auch am Wochenende 😔! Am Abend muss ich noch einkaufen und kochen. Und die Kinder müssen Hausaufgaben machen und viel für die Schule lernen. Zum Arzt muss ich auch noch gehen … Am Sonntagnachmittag wollen die Kinder und ich meinen Bruder besuchen.
Wollen wir nächste Woche am Mittwoch zum Yoga gehen? Oder musst du arbeiten?

Liebe Grüße
Mara

b **Was muss Mara machen? Was kann sie (nicht) machen? Was will sie machen? Berichten Sie.**

Mara und Johanna können nicht ins Kino gehen. Mara muss …

G Modalverben im Satz

| Wir | **können** | nicht ins Kino | **gehen**. |

| **Wollen** | wir | zum Yoga | **gehen**? |

c **Lesen Sie Johannas Antwort und ergänzen Sie die Modalverben in der richtigen Form.**

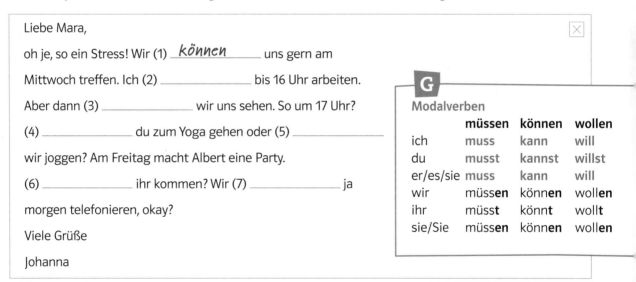

Liebe Mara,

oh je, so ein Stress! Wir (1) _können_ uns gern am

Mittwoch treffen. Ich (2) _____ bis 16 Uhr arbeiten.

Aber dann (3) _____ wir uns sehen. So um 17 Uhr?

(4) _____ du zum Yoga gehen oder (5) _____

wir joggen? Am Freitag macht Albert eine Party.

(6) _____ ihr kommen? Wir (7) _____ ja

morgen telefonieren, okay?

Viele Grüße

Johanna

G Modalverben

	müssen	**können**	**wollen**
ich	muss	kann	will
du	musst	kannst	willst
er/es/sie	muss	kann	will
wir	müssen	können	wollen
ihr	müss**t**	könn**t**	woll**t**
sie/Sie	müss**en**	könn**en**	woll**en**

🔊
1.79

12 **Hören Sie das Gespräch und variieren Sie den Dialog dreimal mit verschiedenen Personen.**

○ Was machst du morgen? Hast du Zeit?
● Tut mir leid. Morgen muss ich arbeiten.
○ Schade. Und am Dienstag?
● Das geht.
○ Wir können ins Kino gehen.
● Gute Idee! Wann? Um halb acht?
○ Halb acht ist super.

Ich muss …
zum Arzt gehen | Sport machen |
zum Sprachkurs gehen | lernen |
meine Eltern besuchen | …

Wir können …
ins Café gehen | Yoga machen |
tanzen gehen | Tennis spielen |
Fahrrad fahren | …

Kann ich einen Termin haben?

◀)) **13 a**
1.80

Termin beim Arzt. Hören Sie das Gespräch. Ordnen Sie die Aussagen zu.

1. ○ Guten Tag, Praxis Dr. Steinig, Svetlana Keller.

   Was kann ich für Sie tun? _C_

2. ○ Können Sie am Freitag um 10:45 Uhr kommen? _____

3. ○ Nein, leider nicht, am Montag ist nichts frei.

   Geht es am Mittwoch um 11:30 Uhr? _____

4. ○ Also Mittwoch um 11:30 Uhr. Wie ist noch mal

   Ihr Name, bitte? _____

5. ○ Danke, Frau Dobart. Bis Mittwoch.

   Auf Wiederhören. _____

A ● Danke. Auf Wiederhören.

B ● Nein, ich muss am Freitag arbeiten.

   Geht es auch am Montag?

C ● Guten Tag! Mein Name ist Mara Dobart.

   Ich hätte gern einen Termin.

D ● Ja, das geht. Vielen Dank.

E ● Mara Dobart.

b **Lesen Sie den Dialog mit einem Partner /
einer Partnerin.**

◀))
1.81

Gut gesagt: Höflichkeit

unhöflich ☹	höflich ☺	sehr höflich ☺☺
Ich **will** einen Termin!	**Kann** ich bitte einen Termin haben? / Ich **möchte** bitte einen Termin.	Ich **hätte gern** einen Termin.

14 **Vereinbaren Sie einen Termin. Wählen Sie eine
Rollenkarte und spielen Sie die Dialoge.**

> **1 A** Sie sind Friseur/in.
> Ein Kunde / Eine Kundin möchte
> heute einen Termin. Es geht nur um
> 13 Uhr. Morgen geht es um 10 oder
> 17 Uhr.

> **1 B**
> Sie brauchen einen Termin
> beim Friseur, heute ab
> 16 Uhr. Morgen arbeiten Sie nur
> vormittags.

Ein Telefongespräch vorbereiten
Überlegen Sie vorher: Was brauchen Sie?

Notieren Sie vor dem Gespräch Wörter und Fragen.

> **2 A** Sie arbeiten in einer
> Sprachschule. Das Büro ist von
> 9 bis 12 Uhr offen und am
> Donnerstag auch am Abend von
> 17 bis 20 Uhr.

> **2 B** Sie möchten einen
> Sprachkurs machen. Sie wollen
> nächste Woche in die Sprachschule
> kommen. Sie arbeiten immer
> von 9 bis 16 Uhr.

○ Ich hätte gern einen Termin. Haben
Sie heute/morgen / am … einen
Termin frei?

● Nein, heute/morgen / am … (leider) nicht,
aber am … Können Sie am … um …
kommen?

○ Nein, das geht leider nicht. /
Nein, da kann ich leider nicht.
Geht es am … um …?

● Ja, das geht. Vielen Dank. / Ja, danke.

Pünktlichkeit?

15 a **Lesen Sie und sehen Sie die Bilder an. Kann man hier zu spät kommen? Wie viele Minuten? Markieren und vergleichen Sie.**

1. Herr Spiegel hat um 10:45 Uhr einen Termin beim Arzt.

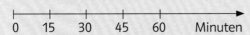

2. Kollegen sitzen am Abend in einer Bar.
   Pia ist noch nicht da. Termin: 20:00 Uhr

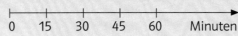

3. Frau Moser hat eine Besprechung in der Firma.
   Termin: 9:00 Uhr

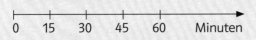

4. Lena und Stefan kochen, Leo kommt zum Essen.
   Termin: 20:00 Uhr

b **Hören Sie. Wie viele Minuten sind die Personen zu spät? Ist das ein Problem? Ergänzen Sie die Tabelle.**

1.82–85

▶ 12

	1. Arzt	2. Bar	3. Firma	4. Abendessen
Verspätung	*10 Minuten*			
Problem?	Ja ☐ Nein ☐	Ja ☐ Nein ☐	Ja ☐ Nein ☐	Ja ☐ Nein ☐

> **!**
> **Zeitangaben**
> 60 Sekunden = 1 Minute
> 30 Minuten = eine halbe
>   Stunde

▶ R3 **c** **A wartet, B kommt zu spät. Was sagt A, was sagt B?**

B Es tut mir leid, ich bin zu spät. ___ Kein Problem. ___ Bitte entschuldigen Sie.

___ Entschuldigung, bitte. ___ Das nächste Mal bitte pünktlich! ___ Macht nichts.

___ Schon gut. ___ Ich bitte um Entschuldigung.

d **Arbeiten Sie in Gruppen und spielen Sie die Situationen aus 15a.**

Die Netzwerk-WG

▶10 **16** *Wir gehen joggen.* Sehen Sie Szene 10. Was passiert zuerst, was später? Ordnen Sie die Aussagen.

_____ Es ist kein Brot da.

_____ Max hat heute frei. Er will in den Supermarkt gehen.

_____ Anna klopft bei Max. Sie wollen joggen.

__1__ Max schläft noch.

_____ Max will am Abend kochen.

_____ Anna und Max gehen joggen.

_____ Anna trinkt Kaffee.

▶11 **17** *Wo ist Max?* Sehen Sie Szene 11. Wer macht das? Ergänzen Sie die Namen Anna, Bea, Luca und Max.

Um 19:30 Uhr kommt (1) _Luca_____ nach Hause.

Er sucht (2) _____. Aber (3) _____ ist

noch nicht da. Um 19:45 Uhr kommt (4) _____.

Dann essen (5) _____ und _____ zusammen

ein Brot. (6) _____ schreibt: „Ich komme erst um

20:00 Uhr." Dann schreibt (7) _____: „Komme

gleich." Um 20:05 Uhr kommt (8) _____ und fragt:

„Wo ist (9) _____?"

18 a Was glauben Sie: Was machen Luca, Bea und Anna?
Kreuzen Sie an und vergleichen Sie im Kurs.

☐ 1. Sie kochen zusammen.
☐ 2. Sie gehen ins Restaurant.
☐ 3. Sie schreiben Max.
☐ 4. Sie bestellen online Essen.
☐ 5. Sie gehen zum Supermarkt.

Jetzt reicht's!

▶12 **b** *Mmh, lecker.* Sehen Sie Szene 12. Sind Ihre Vermutungen aus 18a richtig?

c Sehen Sie Szene 12 noch einmal. Zu welchen Fotos passen die Denkblasen? Ordnen Sie zu.

> *1. Was macht er jetzt?*

> *3. Wie bitte? Er möchte auch Pizza?*

> *5. Ich habe auch Hunger.*

> *7. Für dich gibt es nichts!*

> *2. Bitte auch ein Stück für mich.*

> *4. Wir können warten.*

> *6. Ich habe viel Zeit.*

> *8. Da musst du lange warten.*

A

B

die Uhrzeit nennen
Frage

Wie spät ist es? /
Wie viel Uhr ist es?

inoffiziell
Es ist Viertel vor drei.
Es ist halb zwei.

14:45 **offiziell**
Es ist vierzehn Uhr fünfundvierzig.
Es ist dreizehn Uhr dreißig.

Wann?

Um zehn nach neun.
Um kurz vor eins.

Um neun Uhr zehn.
Um zwölf Uhr achtundfünfzig.

einen Termin vereinbaren

Ich hätte gern einen Termin. /
Haben Sie heute/morgen / am … einen Termin?

Ja. Da geht es um 14:15 Uhr.
Nein, heute/morgen / am … geht es (leider) nicht, aber am …

Können Sie am … um … kommen? /
Geht es am … um … Uhr?

Ja, da kann ich. / Nein, da kann ich leider nicht.
Ja, das geht. / Nein, das geht leider nicht.

sich für eine Verspätung entschuldigen …
Entschuldigung, bitte.
Bitte entschuldigen Sie.
Ich bitte um Entschuldigung.
Es tut mir leid, ich bin zu spät.

… und darauf reagieren
Schon gut.
Kein Problem.
Macht nichts.
Das nächste Mal bitte pünktlich!

Zeitangaben: *am, um, von … bis*

	Wochentage/Tageszeiten	**Uhrzeit**
Wann?	**am** Montag / **am** Vormittag	**um** Viertel vor drei
Wie lange?	**von** Montag **bis** Samstag	**von** neun **bis** halb zwei

Possessivartikel

		Nominativ	**Akkusativ**
der	ein/kein	**mein** Vater	**meinen** Vater
das	ein/kein	**mein** Kind	**mein** Kind
die	eine/keine	**meine** Mutter	**meine** Mutter
die	--/keine	**meine** Eltern	**meine** Eltern

	maskulin/neutrum	**feminin/Plural**
ich	mein	meine
du	dein	deine
er	sein	seine
es	sein	seine
sie	ihr	ihre
wir	unser	unsere
ihr	euer	eure
sie	ihr	ihre
Sie	Ihr	Ihre

Modalverben

	müssen	**können**	**wollen**
ich	muss	kann	will
du	musst	kannst	willst
er/es/sie	muss	kann	will
wir	müssen	können	wollen
ihr	müsst	könnt	wollt
sie/Sie	müssen	können	wollen

Modalverben im Satz: Satzklammer

Aussagesatz Modalverb auf Position 2	Wir **können** nicht ins Kino **gehen**.
Ja-/Nein-Frage Modalverb auf Position 1	**Wollen** wir zum Yoga **gehen**? Satzende: Infinitiv

Zeit mit Freunden

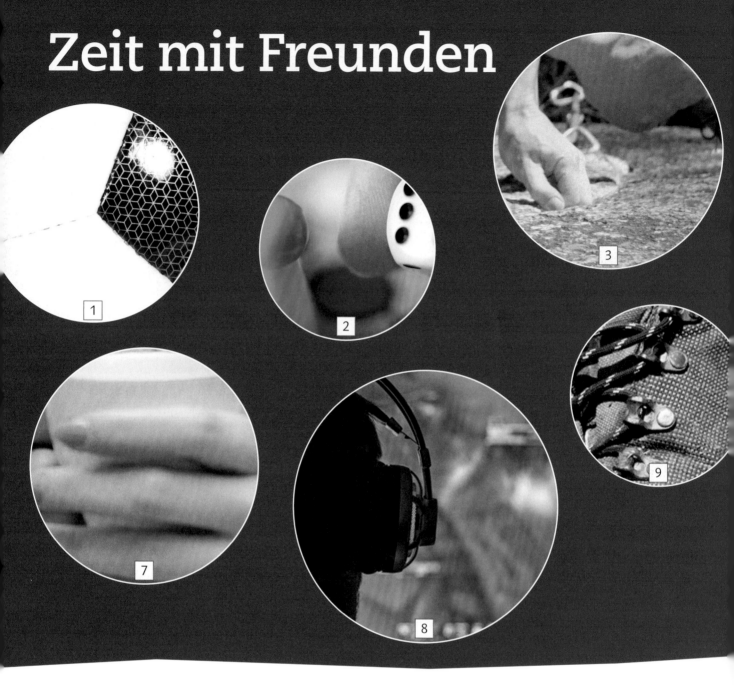

1 a Sehen Sie die Fotos an. Welche Freizeitaktivität passt? Raten Sie.

ins Fitness-Studio gehen | Fußball spielen | grillen | Spiele spielen | Ski fahren | klettern | feiern | Fahrrad fahren | wandern | einen Film sehen | ins Café gehen | Computer spielen

Ich glaube, Bild 1 ist …

Vielleicht ist Bild 5 …

b Welche Wörter in 1a sind ähnlich in Ihrer Sprache oder kennen Sie schon aus anderen Sprachen?

„Café" heißt auf Spanisch auch „café".

6

5

6

4

11

10

12

c   Arbeiten Sie zu zweit. Wählen Sie drei Fotos. Notieren Sie zu den Fotos fünf Wörter. Das Wörterbuch hilft. Wer ist zuerst fertig?

einen Film sehen: zu Hause, allein, das Kino, Freunde ...

🔊 **2 a**   Hören Sie. Um welche Freizeitaktivitäten geht es? Notieren Sie.

1.86-89

1. _____   3. _____

2. _____   4. _____

b   Welche Freizeitaktivitäten mögen Sie? Suchen Sie Fotos und machen Sie Ratebilder oder spielen Sie Pantomime. Die anderen raten.

Hörst du gern Musik?   *Ja, genau!*

Eine Überraschung für Sofia

3 a   **Sofias Geburtstag. Lesen Sie: Was planen Marc und Anne?**

> Hi Marc! Alles klar?

> Ja, Anne! Bei dir auch?

> Ja. Sofia hat nächste Woche Geburtstag – sie wird 30!

> Echt? Wann denn?

> Am 16.7. Das ist ein Donnerstag.

> Und was möchtest du ihr schenken?

> Einen Tag mit ihren Freunden. 😊 Kannst du helfen?

> Klar. Super Idee. Wann wollen wir feiern? Am Sonntag?

> Am 19.7.? Nein, das geht nicht. Sofia besucht ihre Eltern. Und am Freitag arbeitet sie. Dann feiern wir am Samstag.

> Okay, am Samstag. Also am 18.7. Und was machen wir?

> Eine Fahrradtour und ein Picknick.

> Klingt gut. 😊 Wen wollen wir einladen?

b   **Was ist an den Tagen? Lesen Sie noch einmal. Ergänzen Sie die Sätze.**

1. Am 16.7. _hat_ _____ Sofia Geburtstag.

2. Sofia _____ am 17.7.

3. Am 18.7. _____ die Freunde mit Sofia.

4. Am 19.7. _____ Sofia ihre Eltern.

G

Ordinalzahlen: Datum

Wann? Am …

1. **ersten**	5. fün**ften**	9. neun**ten**
2. zwei**ten**	6. sechs**ten**	10. zehn**ten**
3. **dritten**	7. siebten	20. zwanzig**sten**
4. vier**ten**	8. achten	30. dreißig**sten**

Ich habe am 15.11. Geburtstag. = Ich habe am fünfzehnten November / am fünfzehnten Elften Geburtstag.

🔊 **4 a**   **Wann haben die Personen Geburtstag?**
1.90   **Hören Sie und notieren Sie das Datum. Was ist besonders an den Geburtstagen?**

Marc   _____

Susanne und Laura   _____

Sven   _____

Lena   _____

Wann hast du Geburtstag?

Am dritten März.

Am siebten April.

b   **Geburtstage. Stellen Sie sich im Kurs nach dem Kalender auf.**

🔊💬 **5 a**   *ei, eu, au*. **Wann haben die Personen Geburtstag? Hören und verbinden Sie.**
1.91

Herr Rauter	Herr Reuter	Herr Reiter	Frau Beimer	Frau Beumer	Frau Baumer
März	April	Mai	Juni	Juli	August

🔊💬 **b**   **Hören Sie und sprechen Sie nach.**
1.92

6 a Die Einladung. Lesen Sie und beschreiben Sie: Was wollen die Freunde machen?

> **Betreff:** Psst – eine Überraschung für Sofia ☒
>
> Hallo liebe Freunde von Sofia,
> Sofia hat Geburtstag! Unsere Idee für das Geschenk ist ein Tag mit Freunden. Macht ihr mit?
> Wir laden Sofia ein. Unser Überraschungstag fängt am 18.7. um 10 Uhr an, Treffpunkt am Bahnhof.
> Wir holen dann zusammen Sofia ab. Wir machen einen Ausflug mit dem Fahrrad und ein Picknick.
> Getränke und Essen bringen wir mit. Der Tag ist das Geschenk für Sofia – wir sammeln 10 €
> pro Person ein. Bei Regen essen wir zusammen und gehen ins Kino. Wir rufen morgens an oder
> schicken eine Nachricht.
> Hoffentlich könnt ihr alle mitkommen! Achtung: Sofia weiß nichts!
> Viele Grüße
> Marc und Anne

b Markieren Sie die Verben *mitmachen, einladen, anfangen, abholen, mitbringen, einsammeln, anrufen* und *mitkommen*. Was ist besonders?

▶ G2 **c** Bilden Sie Sätze. Beginnen Sie mit den markierten Wörtern.

1. <u>Marc und Anne</u> / alle Freunde / einladen
2. <u>der Tag</u> / um 10 Uhr / anfangen
3. <u>sie</u> / Sofia / zusammen / abholen
4. Marc und Anne / <u>das Essen</u> / mitbringen
5. sie / <u>bei Regen</u> / alle / anrufen
6. <u>Marc und Anne</u> / Geld / einsammeln
7. viele Freunde / <u>am Samstag</u> / können / mitkommen

1. Marc und Anne laden alle Freunde ein.

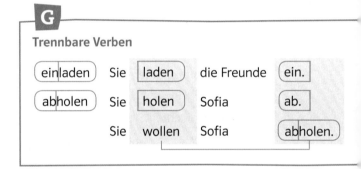

G

Trennbare Verben

einladen	Sie	laden	die Freunde	ein.
abholen	Sie	holen	Sofia	ab.
	Sie	wollen	Sofia	abholen.

▶ 13 **7 a Wie feiern Sie Geburtstag? Fragen Sie Ihren Partner / Ihre Partnerin und notieren Sie die Antworten.**

1. Wen lädst du ein?
2. Wer ruft am Geburtstag an?
3. Was kaufst du für dein Fest ein?
4. Wann fängt das Fest an? Wann hört es auf?
5. Bringen deine Gäste etwas mit? Was?

Sebastian:
1. Familie, Freunde ...

b Suchen Sie einen anderen Partner / eine andere Partnerin und berichten Sie von Ihrem Interview.

> *Sebastian lädt seine Familie und Freunde ein.*

8 Ein Fest mit Freunden. Schreiben Sie eine Einladungs-Mail. Machen Sie zuerst Notizen zu den Fragen.

Wann? *am ..., um ...*
Wo? *im Park / in der Riedstraße 12*
Was? *essen, spielen, tanzen ...*

Liebe Freunde, am ... feiere ich ...

> **!**
>
> **Eine Mail schreiben**
> Schreiben Sie in der Mail eine Anrede
> (z. B. *Liebe Freunde, / Hallo ...*) und einen
> Gruß (z. B. *Liebe/Viele/Herzliche Grüße*).

Im Restaurant

9   Jan trifft Leela. Sehen Sie die Bilder an. Was passiert? Wie ist das in Ihrem Land? Erzählen Sie.

 A

 B

 C

🔊 **10 a**   **Die Bestellung. Hören Sie das Gespräch. Was bestellen Jan und Leela? Kreuzen Sie an.**

1.93

	Jan	Leela
1. Apfelsaftschorle	☐	☐
2. Cola	☐	☐
3. Wasser	☐	☐
4. Salat mit Käse	☐	☐
5. Pizza mit Gemüse	☐	☐

🔊 **b**   **Personalpronomen im Akkusativ. Hören Sie noch einmal einen Teil des Gesprächs aus 10a. Ergänzen Sie.**

1.94

○ Was möchten Sie trinken?

● Für _____ bitte eine Apfelsaftschorle. Und für _____, Leela?

Ich lade _____ ein.

△ Oh, danke! Bitte eine Cola.

○ Und was möchten Sie essen?

△ Für _____ bitte einen Salat mit Käse.

○ Gern. Und für _____?

● Für _____ bitte eine Pizza mit Gemüse.

Können Sie auch Wasser für den Hund bringen?

○ Ja, natürlich, ich bringe gleich Wasser für _____.

G

für + Akkusativ
Für wen?
Für mich bitte einen Salat.
Das Wasser ist **für den** Hund.

G

Personalpronomen im Akkusativ

ich	**mich**	wir	**uns**
du	**dich**	ihr	**euch**
er	**ihn**	sie	**sie**
es	**es**		
sie	**sie**	Sie	**Sie**

▷ 14   **c**   **Für wen ist was? Spielen Sie zu zweit. Jede/r würfelt zwei Mal: das erste Mal für das Essen/Getränk, das zweite Mal für das Personalpronomen. Bilden Sie Sätze.**

⚀	⚁	⚂	⚃	⚄	⚅
der Apfelsaft	der Kuchen	der Kaffee	die Suppe	das Wasser	die Pizza
ich	du	er	sie	wir	ihr

⚂ ⚅   *Der Kaffee ist für euch.*

11 Was möchten Sie? Spielen Sie zu dritt Dialoge.

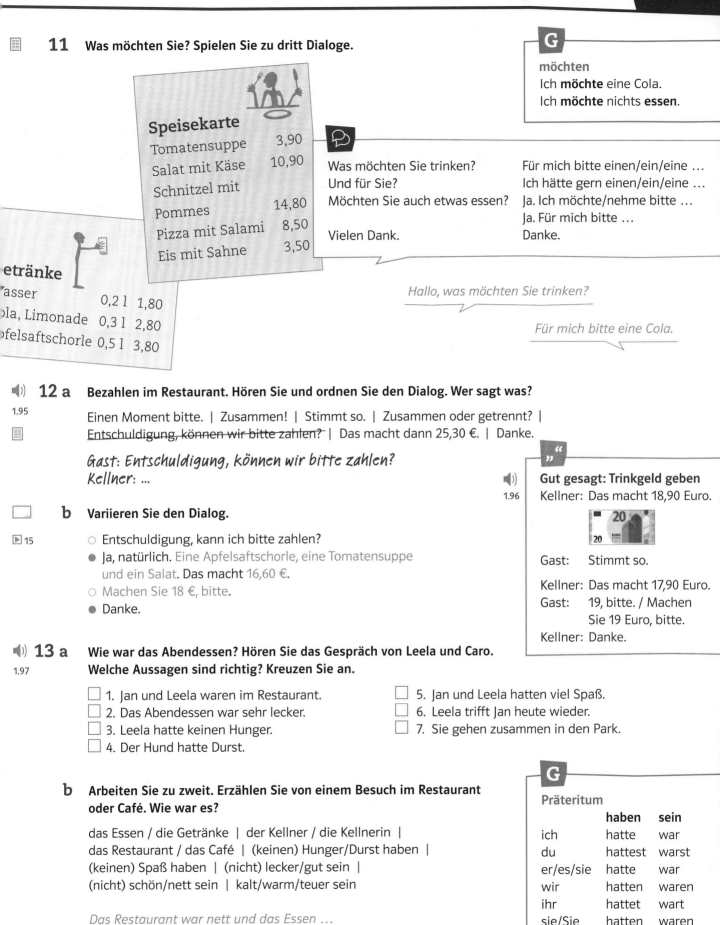

G

möchten
Ich **möchte** eine Cola.
Ich **möchte** nichts **essen**.

Speisekarte
Tomatensuppe 3,90
Salat mit Käse 10,90
Schnitzel mit
Pommes 14,80
Pizza mit Salami 8,50
Eis mit Sahne 3,50

etränke
asser 0,2 l 1,80
la, Limonade 0,3 l 2,80
felsaftschorle 0,5 l 3,80

Was möchten Sie trinken?
Und für Sie?
Möchten Sie auch etwas essen?

Vielen Dank.

Für mich bitte einen/ein/eine …
Ich hätte gern einen/ein/eine …
Ja. Ich möchte/nehme bitte …
Ja. Für mich bitte …
Danke.

Hallo, was möchten Sie trinken?

Für mich bitte eine Cola.

12 a Bezahlen im Restaurant. Hören Sie und ordnen Sie den Dialog. Wer sagt was?

1.95

Einen Moment bitte. | Zusammen! | Stimmt so. | Zusammen oder getrennt? |
Entschuldigung, können wir bitte zahlen? | Das macht dann 25,30 €. | Danke.

Gast: Entschuldigung, können wir bitte zahlen?
Kellner: …

b Variieren Sie den Dialog.

▶ 15

○ Entschuldigung, kann ich bitte zahlen?
● Ja, natürlich. Eine Apfelsaftschorle, eine Tomatensuppe
und ein Salat. Das macht 16,60 €.
○ Machen Sie 18 €, bitte.
● Danke.

" Gut gesagt: Trinkgeld geben

1.96 Kellner: Das macht 18,90 Euro.

Gast: Stimmt so.

Kellner: Das macht 17,90 Euro.
Gast: 19, bitte. / Machen
Sie 19 Euro, bitte.
Kellner: Danke.

13 a Wie war das Abendessen? Hören Sie das Gespräch von Leela und Caro.
Welche Aussagen sind richtig? Kreuzen Sie an.

1.97

☐ 1. Jan und Leela waren im Restaurant.
☐ 2. Das Abendessen war sehr lecker.
☐ 3. Leela hatte keinen Hunger.
☐ 4. Der Hund hatte Durst.

☐ 5. Jan und Leela hatten viel Spaß.
☐ 6. Leela trifft Jan heute wieder.
☐ 7. Sie gehen zusammen in den Park.

b Arbeiten Sie zu zweit. Erzählen Sie von einem Besuch im Restaurant
oder Café. Wie war es?

das Essen / die Getränke | der Kellner / die Kellnerin |
das Restaurant / das Café | (keinen) Hunger/Durst haben |
(keinen) Spaß haben | (nicht) lecker/gut sein |
(nicht) schön/nett sein | kalt/warm/teuer sein

Das Restaurant war nett und das Essen …

G

Präteritum

	haben	sein
ich	hatte	war
du	hattest	warst
er/es/sie	hatte	war
wir	hatten	waren
ihr	hattet	wart
sie/Sie	hatten	waren

Kneipen & Co in D-A-CH

Kaffeehaus

In Wien gibt es viele Kaffeehäuser, sie sind typisch für Wien. Dort trinkt man Kaffee, aber natürlich auch andere Getränke. Man kann auch richtig essen oder nur einen Kuchen bestellen. Viele Menschen lesen im Kaffeehaus Zeitung oder treffen Freunde. Die Kaffeehäuser haben meistens bis 23 Uhr geöffnet.

Biergarten

Biergärten sind typisch für Bayern. Sie haben nur im Sommer geöffnet. Man sitzt draußen an langen Tischen und Bänken. Oft gibt es einen Spielplatz für Kinder. Getränke muss man dort kaufen, aber das Essen kann man auch selbst mitbringen. Im Biergarten ist Selbstbedienung, es gibt keine Kellner.

Strandbar

In vielen Städten in D-A-CH gibt es Sommer Strandbars. Sie sind meistens an einem Fluss oder an einem See. Man kann dort etwas trinken und auch essen. Strandbars haben nur bei Sonne und gutem Wetter geöffnet.

Kneipe

Kneipen gibt es überall. Sie haben meistens ab Nachmittag bis spät nachts geöffnet. Am Abend ist es oft sehr voll und viele Leute stehen. Es gibt kleine Gerichte, z.B. Sandwiches, manchmal auch eine große Speisekarte. In Wien heißen die Kneipen „Beisl", in der Schweiz „Beiz".

> **! Beim Lesen wichtige Informationen finden**
> Sie müssen nicht alles verstehen. Suchen Sie nur Informationen zu den Fragen. Markieren Sie im Text die Antworten auf die Fragen.

14 a Verschiedene Lokale. Lesen Sie die Texte und ergänzen Sie die Tabelle.

	Wo?	Wann geöffnet?	Essen und Trinken?
Kaffeehaus	in Wien		
Biergarten			Trinken ja, Essen mitbringen
Strandbar		nur im Sommer	
Kneipe			

b Was finden Sie interessant? Welches Lokal möchten Sie gern besuchen? Sprechen Sie in Gruppen.

Ich finde Biergärten interessant. Man kann selbst Essen mitbringen!

Ich möchte gern eine Strandbar besuchen.

c Welche typischen Lokale gibt es in Ihrem Land / in Ihrer Stadt? Berichten Sie.

Bei uns gibt es viele ...

Typisch ist ...

Man kann dort ...

Was ist los in …?

15 a **Lesen Sie die Anzeigen. Wo fehlen diese Informationen?**

Preis: _A,_ _____ Ort: _____ Uhrzeit: _____ Datum: _____

A EXTRA-KONZERT

Mark Forster

am _____
in der Stadthalle Wien

Tickets ab _____
Konzertbeginn 20 Uhr

B

Lange Museumsnacht am
28.8. in _____
Die lange Kultur-Nacht beginnt um
_____ und endet um _____ früh.
Alle Museen in der Stadt sind geöffnet
und haben ein Extra-Programm.
Das Ticket kostet _____.

C

Open-Air-Kino am Zürichsee
bei gutem Wetter an jedem Abend
im August um _____ Uhr
am _____ und 22.8.
Double Feature mit zwei Filmen
Eintritt ab 20 Uhr
Tickets für _____ Franken,
Double Feature für 15,– Franken

D *Marathon Erfurt*

ERFURT MARATHON 18. AUGUST 2018

am _____

Laufen Sie durch Stadt und Natur und
genießen Sie die besondere Atmosphäre!
Anmeldung jetzt!

Halbmarathon 33,– Euro,
Marathon _____

E

Fußball Champions League am _____
FC Bayern München : FC Basel
Allianz Arena München. Beginn 20:45 Uhr.
Karten für _____ bei uns! Ticketbox München

!

Beim Hören wichtige Informationen verstehen
Achten Sie auf wichtige Wörter.
Beispiel: Sie wollen den Preis wissen.
→ Wichtige Wörter sind:
Preis, Ticket, Karte, kosten, Euro, Franken und die Zahlen.
Hören Sie ein wichtiges Wort?
→ Passen Sie auf!
Sie müssen nicht alles verstehen.

🔊 **b** **Hören Sie und ergänzen Sie die Informationen.**
1.98

c **Was wollen Sie gern machen? Sprechen Sie im Kurs und finden Sie für alle Aktivitäten einen Partner / eine Partnerin. Notieren Sie die Namen.**

Konzert	Kino	Fußballspiel	Museumsnacht	Marathon

Ich möchte ins Konzert gehen. Kommst du mit?

Gute Idee!

Ja, gern.

Ja, warum nicht?

Nein, ich habe keine Lust. Ich möchte …

d **Was kann man in Ihrer Stadt machen? Recherchieren Sie und präsentieren Sie im Kurs.**

Die Netzwerk-WG

▶ 13 **16 a** *Luca hat Geburtstag.* Sehen Sie Szene 13. Was bereiten Anna, Max und Bea für die Party vor? Verbinden Sie die Wörter mit dem Foto.

1. der Teller

2. das Glas

3. die Blume

4. die Serviette

5. das Brot

6. das Geschenk

7. der Kuchen

8. die Kerze

9. die Karte

10. die Girlande

b Was ist richtig? Kreuzen Sie an. Sehen Sie dann die Szene noch einmal und kontrollieren Sie.

☐ 1. Es ist zwölf Uhr.
☐ 2. Luca kommt von der Arbeit.
☐ 3. Die Freunde singen ein Lied für ihn.

☐ 4. Luca schläft auf dem Sofa.
☐ 5. Max bringt Luca einen Kaffee.
☐ 6. Luca möchte für die WG kochen.

▶ 14 **17** *Lucas Einladung.* Sehen Sie Szene 14. Was essen und trinken Luca, Anna und Max? Markieren Sie in der Speisekarte.

Getränke		
Wasser	0,3 l	2,60 €
	0,75 l	5,50 €
Apfelsaft	0,2 l	3,40 €
Orangensaft	0,2 l	3,40 €
Apfelschorle	0,3 l	3,00 €
Cola	0,3 l	3,20 €
Orangenlimonade	0,3 l	3,20 €

Essen	
Kartoffelsuppe	4,20 €
Salat mit Tomate, Gurke und Käse	5,50 €
Vorspeiseplatte für zwei Personen	9,90 €
Vorspeiseplatte für vier Personen	18,- €
Pizza mit Käse und Salami	7,90 €
Wiener Schnitzel mit Bratkartoffeln	13,50 €
Fisch vom Grill mit Reis	16,90 €

▶ 15 **18 a** *Essen für Bea.* Sehen Sie Szene 15. Was sagt Bea am Telefon? Ordnen Sie zu.

1. ○ Hallo Bea! _____

2. ○ Was ist los? _____

3. ○ Oh, wirklich? Schade! _____

4. ○ Na gut, dann bis später. _____

A ● Ja, finde ich auch. Echt schade!

B ● Ja, viel Spaß noch! Bis später.

C ● Hi Luca!

D ● Ich muss leider noch arbeiten.

b Sehen Sie die Szene noch einmal. Wer sagt was? Ordnen Sie zu.

Können wir das mitnehmen?   *Hoffentlich hat sie Hunger.*   *Können wir bitte zahlen?*

Zusammen oder getrennt?   *Oje, ich bin so satt.*

die Kellnerin   Luca   Anna   Max

eine Einladung schreiben

Hallo …, / Liebe …, / Lieber …,
wir machen ein Fest / eine Party / … Wir laden dich/euch herzlich ein.
Die Party ist am … in … Wir fangen um … an.
Kannst du / Könnt ihr … mitbringen?
Hoffentlich hast du / habt ihr Zeit!
Liebe Grüße / Viele Grüße / Herzliche Grüße

Essen und Getränke bestellen und bezahlen

Was möchten Sie trinken/bestellen?
Und für Sie?
Möchten/Wollen Sie auch etwas essen?

Für mich bitte ein Wasser / eine Cola.
Ich hätte gern einen Apfelsaft.
Ja. Ich möchte/nehme einen Salat, bitte.
Für mich bitte eine Suppe.

Entschuldigung, kann ich / können wir bitte
   zahlen?
Zusammen, bitte!
Stimmt so. / Machen Sie … bitte. / … bitte.

Einen Moment, bitte. / Ja, gern.
Zusammen oder getrennt?
Das macht (zusammen) … Euro.

über ein Ereignis sprechen

fragen

Wie war …?
Ist das Restaurant teuer/gut?

Hattet ihr (keinen) Spaß?

erzählen

Es war super/schön / nicht so gut.
Das Essen war okay/lecker.
Der Kellner war (nicht so) nett.
Wir hatten viel/keinen Spaß.

Ordinalzahlen: Datum

Wann? Am …

1. **ersten**	5. fünf**ten**	9. neun**ten**	13. dreizehn**ten**	21. einundzwanzig**sten**
2. zwei**ten**	6. sechs**ten**	10. zehn**ten**	14. vierzehn**ten**	22. zweiundzwanzig**sten**
3. **dritten**	7. **siebten**	11. elf**ten**	15. fünfzehn**ten**	30. dreißig**sten**
4. vier**ten**	8. **achten**	12. zwölf**ten**	20. zwanzig**sten**	31. einunddreißig**sten**

trennbare Verben

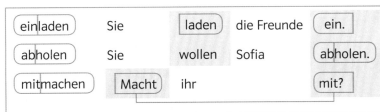

ab|holen, an|fangen, an|rufen, ein|laden, ein|sammeln,
mit|bringen, mit|kommen, mit|machen …

Präteritum: *haben* und *sein*

	haben	**sein**
ich	hatte	war
du	hattest	warst
er/es/sie	hatte	war
wir	hatten	waren
ihr	hattet	wart
sie/Sie	hatten	waren

Personalpronomen im Akkusativ

ich	mich	wir	uns
du	dich	ihr	euch
er	ihn	sie	sie
es	es		
sie	sie	Sie	Sie

Ich lade **dich** ein.
Holst du **mich** ab?

Präposition *für* + Akkusativ

Für wen ist das Wasser?
Das Wasser ist **für den** Hund / **ihn.**

Wiederholungsspiel

1 Spielen Sie zu fünft: zwei Spieler-Paare und ein Experte / eine Expertin.
Welches Spielerpaar hat am Ende die meisten Punkte?

Werfen Sie eine Münze:

Kopf

→ Spielen Sie einen
Dialog zu dem Bild oben.

Zahl

→ Lösen Sie die
Aufgabe unten.

Der Experte / Die Expertin
entscheidet:
Wie war Ihr Dialog?

Sehr gut → 5 Punkte
Gut → 3 Punkte
Nicht so gut → 1 Punkt

War Ihre Antwort
richtig? → 3 Punkte

Der Experte / Die Exper-
tin notiert die Punkte.
Er/Sie bekommt aus
dem Lehrerhandbuch
Informationen zu den
Dialogen und Aufgaben.

Start
Team A

Wann haben Sie
Geburtstag?

Nennen Sie je ein Nomen für:
- Milchprodukte
- Obst
- Gemüse

Ergänzen Sie den Dialog:
○ Wer ist das?
● Das ist … Mutter.
Und hier siehst du … Vate

Start
Team B

Wann hat Ihr Freund / Ihre
Freundin Geburtstag?

Was kauft man wo? Nennen
Sie je ein Nomen:
- in der Metzgerei
- im Supermarkt
- auf dem Markt

Ergänzen Sie den Dialog:
○ Wer ist das?
● Das ist … Tochter.
Und hier siehst du … Soh

4 • • • • • • • • • • • 5 • • • • • • • • • • 6 • • • • • •   **Ziel**

4 Wie heißen die Formen?
ich kann, du …,
er/es/sie …, wir …,
ihr …, sie/Sie …

5 Wie heißen die Wörter?
Nennen Sie auch
Artikel und Plural.

6 Bilden Sie einen Satz
mit dem Verb *einladen*.

4 • • • • • • • • • • 5 • • • • • • • • • • 6 • • • • •   **Ziel**

4 Wie heißen die Formen?
ich will, du …,
er/es/sie …, wir …,
ihr …, sie/Sie …

5 Wie heißen die Wörter?
Nennen Sie auch
Artikel und Plural.

6 Bilden Sie einen Satz
mit dem Verb *anrufen*.

Zeit

2 Drei interessante Informationen. Sprechen Sie zu zweit wie im Beispiel.

Fußball spielen
arbeiten
eine Mail schreiben
ins Café gehen
einen Film sehen
ins Fitness-Studio gehen
klettern

einkaufen
kochen
ins Kino gehen
Zeitung lesen
singen
zum Arzt gehen
Wörter lernen

meine Kinder abholen
Freunde treffen
Geige spielen
lange schlafen
tanzen
meine Eltern anrufen
eine Party machen

○ Ich gehe heute Nachmittag ins Café.
● Aha.
○ Ich will am Abend ins Kino gehen.
● Wirklich?
○ Ich muss morgen arbeiten.
● Sehr interessant. Du gehst heute Nachmittag ins Café, du willst am Abend ins Kino gehen und du musst morgen arbeiten.
○ Genau.

3 Hast du Zeit? Ergänzen Sie ein Datum. Fragen und antworten Sie. Finden Sie einen Partner / eine Partnerin für drei Aktivitäten.

Gehen wir am … zusammen ins Theater?
Machen wir am … eine Radtour?
Gehen wir am … ins Kino?
Machen wir am … eine Party?
Gehen wir am … ins Restaurant?
Ich gehe am … ins Konzert. Kommst du mit?
Wir gehen am … ins Museum. Kommst du mit?
Gehen wir am … Ski fahren?
Ich gehe am … wandern. Du auch?

Nein, tut mir leid.
Ja, gerne.
Gute Idee!
Okay.
Nein, ich habe leider keine Zeit.
Ja, warum nicht?
Nein, keine Lust.

Gehen wir am ersten Dritten zusammen ins Theater?

Nein, keine Lust.

4 Tageszeiten. Arbeiten Sie zu zweit. Jede/r wählt einen Text und diktiert ihn seinem Partner / seiner Partnerin. Korrigieren Sie dann den Text.

A

Am Morgen muss ich ganz viel laufen.
Mittags kann ich etwas kaufen.
Am Nachmittag will ich Freunde sehen
und am Abend ins Kino gehen.

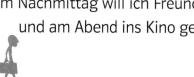

B

Morgens trinke ich einen Tee.
Am Mittag schwimme ich im See.
Am Nachmittag bin ich allein.
Am Abend lade ich Freunde ein.

5 a Sehen Sie die Fotos an. Was passt: viel Zeit oder wenig Zeit? Notieren Sie die Nummern.

viel Zeit   wenig Zeit

_____   _____

b Vergleichen Sie Ihre Ergebnisse im Kurs.

c Ihre Zeit: Für welche Dinge brauchen Sie viel Zeit? Für welche möchten Sie mehr Zeit haben?
Sammeln Sie.

Ich brauche
viel Zeit für…

Ich möchte mehr
Zeit für …

d Vergleichen Sie im Kurs.

Essen in D-A-CH

6 a Sehen Sie die Bilder an. Welches Gericht kennen Sie? Was möchten Sie probieren?

Matjes mit Kartoffeln

Currywurst mit Pommes

Grüne Soße

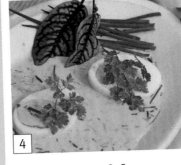

Käsespätzle

Kaiserschmarrn

Zürcher Geschnetzeltes mit Rösti

Käsefondue

Wiener Schnitzel mit Kartoffelsalat

b Arbeiten Sie zu dritt. Welche Lebensmittel sehen Sie auf den Bildern? Sammeln Sie. Vergleichen Sie dann im Kurs.

c Lesen Sie die Texte. Welcher Text passt zu welchem Gericht? Ordnen Sie zu.

Ingo, 33, Berlin
Ich wohne seit fünf Jahren in Berlin und esse meistens einmal pro Woche Currywurst mit Pommes. Meine Kollegen und ich gehen nämlich jeden Mittwoch zum „Currybus". Der steht  dann immer vor dem Büro und wir kaufen Currywurst mit Pommes rot-weiß, also mit Ketchup und Mayo. Das schmeckt super – und ist billig! Currywurst gibt es natürlich in ganz Deutschland, aber in Berlin schmeckt sie besonders gut – und natürlich im Ruhrgebiet!

Marie, 18, Hamburg
Ich wohne in Hamburg, aber meine Mutter kommt aus Schwaben in Süddeutschland – und die Schwaben sind berühmt für ihre Spätzle. Spätzle sind ähnlich wie Nudeln. Meine Mutter macht sie  selbst, fast jedes Wochenende. Sie braucht für Spätzle nur Eier, Mehl, Wasser und Salz … und natürlich etwas Zeit. Käsespätzle mit Salat mag ich besonders gern, aber Spätzle mit Fleisch und Soße sind auch lecker.

Alexander, 25, Innsbruck
Ich esse sehr gern Kaiserschmarrn, besonders im Winter. Das ist so lecker! Meine Oma macht den Kaiserschmarrn perfekt! Wir essen ihn bei allen Festen und manchmal auch am Sonntag. Für  Kaiserschmarrn brauche ich Mehl, Milch, Eier und Zucker und natürlich auch ein Früchtekompott – das ist so ähnlich wie Marmelade. Der Kaiserschmarrn ist ähnlich wie Pfannkuchen.

Michaela, 28, Zürich
Ich esse an meinem Geburtstag immer Zürcher Geschnetzeltes – im Restaurant oder ich koche es selbst. Für Zürcher Geschnetzeltes brauche ich Fleisch, Zwiebeln, Sahne und Wein – und  meistens auch Champignons. Die Soße schmeckt super und zusammen mit Rösti noch besser. Es ist ein Gericht aus Kartoffeln und passt perfekt zum Geschnetzelten!

d Arbeiten Sie zu zweit. Jede/r wählt zwei Texte. Was sagen die Leute? Machen Sie Notizen und berichten Sie Ihrem Partner / Ihrer Partnerin.

e Was isst man in Ihrem Land / Ihrer Region? Bringen Sie Fotos von einem typischen Gericht mit und berichten Sie: Was brauchen Sie für das Gericht? Wann essen Sie das?

Das Gericht heißt … Ich brauche für … Fleisch, Tomaten und Paprika. Ich esse das am Wochenende.

Guten Tag!

1 **Deutsch international. Wie heißen die Wörter? Schreiben Sie.**

1. die _ _ D _ _ _ _

2. der _ _ _ _ E _

3. die _ U _ _ _ _ _ _

4. das _ _ T _ _ _ _ _ _ _

5. die _ _ _ S _ _ _

6. das _ _ _ _ _ C _ _ _

7. das _ _ _ _ _ _ _ H

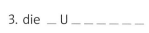

Hallo! Tschüs!

2 a **Was sagen die Leute? Ergänzen Sie.**

Tschüs, Jakob. | Ich heiße Jakob. | Danke, gut. Und dir? | ~~Wie geht's?~~

○ Hallo Tina! _Wie geht's?_

● _____

○ Auch gut, danke.

○ Hallo, ich bin Anna.

● Hallo! _____

○ Tschüs!

● _____ Bis bald!

b **Ordnen Sie die Dialoge und hören Sie zur Kontrolle. Lesen Sie dann laut.**

1.1–2

Dialog 1

_____ Entschuldigung. Wie heißt du?

_____ Kilian.

_____ Hallo Valentin, ich bin Kilian.

_1_ Hallo, ich heiße Valentin. Und wer bist du?

Dialog 2

_____ Auch gut, danke.

_____ Hallo Jakob! Wie geht's?

_____ Hallo Conny!

_____ Sehr gut, danke. Und dir?

c **Ergänzen Sie.**

1. ○ Hallo, ich heiße Nina. Wie _____ du?   ● Ich _____ Emma.

2. ○ Ich bin Julia. Und wer _____ du?   ● Ich _____ Klara.

    ○ Entschuldigung, wie _____ ?   ● Klara.

3. ○ Hallo Klara! Wie _____ ?   ● Danke, _____. Und _____?

    ○ _____ , danke!

d **Ordnen Sie zu.**

Ganz gut. | Gut, danke. | Sehr gut!

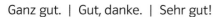 *Wie geht's?*   ☺ ☺   ☺

> **!**
>
> Lernen Sie wichtige Fragen
> und Antworten auswendig.
> ○ Wie geht's?   ● Danke, gut.
> ○ Wie heißt du?   ● Ich heiße …

Guten Tag! Auf Wiedersehen!

3 a **Was passt wo? Ordnen Sie zu.**

Guten Abend! | Gute Nacht! | Auf Wiedersehen! | Guten Morgen! | Ciao! | Guten Tag!

1. _____   2. _____   3. _____

4. _____   5. _____   6. _____

b Hören Sie und ordnen Sie die Dialoge den Bildern zu.

1.3–6

A ☐

B ☐

C ☐

D ☐

c Hören Sie noch einmal: formell *Sie* oder informell *du*? Kreuzen Sie an.

1. Sie ☐ du ☐   2. Sie ☐ du ☐   3. Sie ☐ du ☐   4. Sie ☐ du ☐

d *Sie* oder *du*? Ergänzen Sie.

1. ○ Guten Tag. Ich heiße Tobias Lang. Wie heißen _____?

   ● Mein Name ist Wörner, Pia Wörner.

2. ● Hallo. Ich heiße Pia. Und wer bist _____?

   △ Ich heiße Daniel.

3. △ Entschuldigung, wie heißen _____, bitte?

   ▲ Ich bin Maria Manzoni. Wer sind _____?

   △ Mein Name ist Daniel Beck.

4. ▲ Wie heißt _____? Ich bin Maria.

   ● Ich bin Pia.

e Ergänzen Sie.

1. ○ Hallo, ich bin Maria. Und das _____ Klara.

   ● Entschuldigung, wie _____ du?

   ○ Klara.

2. ○ Guten Tag! Mein Name _____ Tina Kleber.

   ● Guten Tag! Ich heiße Anne Grams.

   ○ Entschuldigung, wie _____ Sie?

   ● Grams, Anne Grams.

3. ○ Guten Abend. Ich heiße Daniel Beck. Und wer _____ Sie?

   ● Mein _____ ist Tina Kleber. Das _____ meine Kollegin Frau Hernandez.

4. ○ Guten Morgen. Mein Name _____ Anne. Und wer _____ du?

   ● Ich _____ Daniel. Wie geht's?

   ○ Danke, gut.

Woher kommen Sie?

4 a **Fragen und Antworten. Ordnen Sie zu.**

1. Wie heißen Sie? _F_   A Aus Irland. Und Sie?

2. Woher kommen Sie? _____   B Englisch und Deutsch.

3. Wo wohnen Sie? _____   C Emilia.

4. Welche Sprachen sprechen Sie? _____   D In Stuttgart. Und Sie?

5. Wer bist du? _____   E Aus Brasilien. Und du?

6. Woher kommst du? _____   F Mein Name ist Victoria Kunze.

7. Wo wohnst du? _____   G In Berlin. Und du?

b *Wer? Wie? Wo? Woher?* **Ergänzen Sie.**

1. ○ Ich bin Emma Reiter. Und _wer_____ sind Sie?   ● Ich bin Beate Kutschera.

2. ○ Ich wohne in Salzburg. _____ wohnen Sie?   ● Auch in Salzburg.

3. ○ Ich bin Peter. _____ heißt du?   ● Michaela.

4. ○ _____ kommst du?   ● Ich komme aus Deutschland.

c **Ergänzen Sie.**

ich | du | er | sie | Sie

1. Niko kommt aus Österreich. _Er_____ wohnt in Innsbruck.

2. ○ Wie heißt _____?

   ● _____ heiße Maria.

3. Das ist Vanessa. _____ kommt aus Deutschland, aus Bonn.

4. ○ Wo wohnen _____?

   ● In Bern.

d **Ergänzen Sie die Tabelle.**

	heißen	wohnen	kommen	sein
ich	_____	_____	_____	_____
du	_____	_____	_kommst_	_____
er/sie	_heißt_	_wohnt_	_____	_____
sie/Sie	_____	_____	_____	_sind_

e Welche Form ist richtig? Kreuzen Sie an.

1. Ich ☐ heißen ☐ heißt ☒ heiße Pia und ich ☐ kommt ☐ komme ☐ kommen aus Hamburg.
2. Hamburg ☐ bin ☐ ist ☐ sind in Deutschland.
3. ○ Wo ☐ wohnen ☐ wohnst ☐ wohnt du?
   ● Ich ☐ wohne ☐ wohnen ☐ wohnt in Zürich.
4. ○ Wer ☐ bist ☐ ist ☐ sind Sie?
   ● Mein Name ☐ ist ☐ bin ☐ sind Nina Weber.
5. ○ Woher ☐ komme ☐ kommst ☐ kommen Sie, Frau Weber?
   ● Aus Frankfurt.

5 a Hören Sie die Fragen und schreiben Sie Ihre Antworten.
1.7

1. _Ich_ _____
2. _____
3. _____

b Hören Sie noch einmal und sprechen Sie die Antworten.

c Schreiben Sie die Fragen mit *du* zu den Antworten.

1. ○ _____ ? ● Fabio.
2. ○ _____ ? ● Aus Rom.
3. ○ _____ ? ● In Frankfurt.

d Wählen Sie.

A Ergänzen Sie die Sätze mit den Verben unten. Achten Sie auf die richtige Form.

B Ergänzen Sie die Verben in der richtigen Form.

1. ○ Ich heiße Beate Kutschera. Und wie _heißen_ Sie?
   ● Mein Name _____ Emma Reiter.

2. ○ Ich _____ in Berlin. Und wo _____ du?
   ● In Salzburg.

3. ○ Woher _____ Sie? Aus England?
   ● Nein, ich _____ aus Australien.

4. ○ Das ist Fabio. Er _____ aus Italien.
   ● Und wo _____ er?
   ○ In Frankfurt.

1. heißen, sein | 2. wohnen | 3. kommen | 4. kommen, wohnen

e **Aussagesatz und W-Frage. Ordnen Sie die Sätze in die Tabelle.**

1. in Berlin / wohnen / ich / .
2. Sie / heißen / wie / ?
3. sein / wer / du / ?
4. ich / aus Moskau / kommen / .

5. heißen / er / Peter / .
6. kommen / woher / du / ?
7. sein / mein Name / Nina / .
8. du / wohnen / wo / ?

Aussagesatz		
1. Ich	*wohne*	*in Berlin.*
W-Frage		
2. Wie	*heißen*	*Sie?*

Verb

f **Lesen Sie den Chat. Ergänzen Sie die Informationen.**

Hallo! Mein Name ist Aylin. Ich komme aus Berlin.

Hallo Aylin! Du kommst aus Berlin – das ist super. Ich wohne in Berlin!

Hallo Berlin! Wie heißt du?

Oh, Entschuldigung! Ich heiße Sarah.

😊 Sarah – das ist schön! Woher kommst du?

Ich komme aus Frankfurt. 😎

???? Wer bist du?

Ich bin Nils! Hallo Sarah, hallo Aylin! Und, Sarah, woher kommst du?

Ich komme aus Stuttgart.

😀 Und ich wohne in Stuttgart!

😄 Nils, wohnst du auch in Stuttgart?

Nein, ich wohne in Frankfurt …

Aylin

Wo? _____

Woher? _____

Sarah

Wo? _____

Woher? _____

Nils

Wo? _____

Woher? _____

Zahlen und Buchstaben

6 a **Die Zahlen. Hören Sie die Zahlen und sprechen Sie dann laut mit.**

1.8

b **Lesen Sie und ergänzen Sie die Zahlen.**

null: _0_ 　　　　3: _drei_ 　　　　sechs: _____　　8: _____

elf: _____　　14: _____　　siebzehn: _____　　20: _____

c **Hören Sie und schreiben Sie die Zahlen.**

1.9

1. _2 – 4 –_ _____　　　　3. _____

2. _____　　　　4. _____

d **Welche Nummer hören Sie? Kreuzen Sie an.**

1.10

1. [a] 0175 – 34 89 679　　2. [a] 040 – 56 12 14　　3. [a] 0174 – 90 34 89 04　　4. [a] 99 84 14 35

　[b] 0175 – 34 88 679　　　[b] 040 – 56 12 24　　　[b] 0173 – 90 34 89 04　　　[b] 79 84 14 35

e **Wie ist die Nummer? Spielen Sie zu zweit. Fragen Sie und notieren Sie die Antwort.**

A Telefonnummern	
Doktor Böhm:	_____
Katharina:	0155 – 19 57 46 23
Attila Kortulus:	_____
Frau Stern:	0341 – 65 47 13 07
Klaus Betleff:	_____
Mario:	0173 – 40 40 33 91

B Telefonnummern	
Doktor Böhm:	37 45 901
Katharina:	_____
Attila Kortulus:	0171 – 89 89 56 66
Frau Stern:	_____
Klaus Betleff:	0221 – 34 05 71
Mario:	_____

Wie ist die Telefonnummer von Doktor Böhm?　　　*Die Nummer ist ...*

7 a Das Alphabet. Hören Sie den Buchstaben-Rap und lesen Sie dann laut mit.

1.11

A a	B be	C tse	D de	E e	F ef	G ge	H ha	I i	J jot

K ka	L el	M em	N en	O o	P pe	Q ku	R er	S es	T te

U u	V fau	W we	X iks	Y üpsilon	Z tset	Ä ä	Ö ö	Ü ü

b Hören Sie. Wie heißen die Leute? Notieren Sie die Namen.

1.12

1. _____   3. _____

2. _____   4. _____

c Wie bitte? Schreiben Sie die Sätze.

1. noch / bitte / einmal / Entschuldigung / , / . _____

2. nicht / ich / Das / verstehe / . _____

3. bisschen / ein / Bitte / langsamer / . _____

d Buchstabieren Sie die Namen von Stars. Die anderen nennen die Namen.

Te O eN I Ka eR O O eS

Toni Kroos!

e Fragen Sie Ihren Partner / Ihre Partnerin und notieren Sie.

Wie ist Ihre/deine E-Mail-Adresse? _____

Wie ist Ihr/dein Nachname? _____

Länder und Sprachen

8 a Ordnen Sie die Länder zu.

1. Deutschland
2. Österreich
3. Schweiz
4. Italien
5. Frankreich
6. Mexiko
7. Griechenland
8. Thailand
9. Portugal
10. Polen

F ___
D _1_
PL ___
A ___
TH ___
I ___
MX ___
CH ___
PT ___
GR ___

b **Notieren Sie die Sprachen.**

Polnisch | Maori | Englisch | Englisch | Italienisch | Spanisch | Portugiesisch | Arabisch | Ungarisch | Griechisch | Thai | Französisch

1. Portugal: _____ 6. Thailand: _____

2. Ungarn: _____ 7. Italien: _____

3. Polen: _____ 8. Tunesien: _____

4. Mexiko: _____ 9. Griechenland: _____

5. Kanada: _____ 10. Neuseeland: _____

c **Was passt zusammen? Ordnen Sie zu.**

Woher kommen Sie?

1. Aus der _____   A USA/Niederlanden/…

2. Aus _____   B Türkei/Schweiz/Ukraine/Slowakei/…

3. Aus dem _____   C Deutschland/Spanien/Syrien/China/Dänemark/…

4. Aus den _____   D Irak/Iran/Libanon/Jemen/…

d **Schreiben Sie fünf Sätze. Es gibt mehrere Möglichkeiten.**

| Woher   Ben   Ich   Das   Wo | lernt   ist   spreche   kommst   wohnt | in Amsterdam.   er?   du?   Caroline Wolters.   Spanisch. |

1. *Woher kommst du?* _____

2. _____

3. _____

4. _____

5. _____

e **Hören Sie und ergänzen Sie die Informationen.**

1.13–14

1. Name: *Lorena Steiner* _____   2. Name: _____

    Land: _____   Land: _____

    Stadt: _____   Stadt: _____

f **Schreiben Sie kurze Texte zu den Personen in 8e.**

Sie heißt Lorena Steiner. Sie …

R1 Arbeiten Sie zu zweit. Schreiben Sie Dialoge und spielen Sie die Situationen.

	☺☺	☺	☹	☹	KB	ÜB
Q Ich kann grüßen, mich vorstellen und mich verabschieden.	☐	☐	☐	☐	2b, 3b	2a–c, 3

R2 Wer ist das? Arbeiten Sie zu zweit und stellen Sie „Ihre" Person vor.

A Tim Rogers	Moskau
USA	Russland
New York	**B Nadja Smirnova**

	☺☺	☺	☹	☹	KB	ÜB
Q Ich kann über mich und andere sprechen.	☐	☐	☐	☐	5, 8c	5, 8e–f

R3 Arbeiten Sie zu zweit. Fragen Sie Ihren Partner / Ihre Partnerin und notieren Sie.

Telefonnummer: _____   E-Mail-Adresse: _____

	☺☺	☺	☹	☹	KB	ÜB
Q Ich kann meine Telefonnummer und E-Mail-Adresse sagen.	☐	☐	☐	☐	6c, 7c	6e, 7e

Außerdem kann ich ...	☺☺	☺	☹	☹	KB	ÜB
Q ... nach dem Befinden fragen und darauf antworten.	☐	☐	☐	☐	2b, 3b	2c–d
🔊📖 ... einfache Informationen über Personen verstehen.	☐	☐	☐	☐	4a, 8a	4, 5f, 8e
Q🔊 ... die Zahlen von 0–20 nennen und verstehen.	☐	☐	☐	☐	6	6
Q ... buchstabieren.	☐	☐	☐	☐	7a, c	7a, b, d
Q🔊 ... Länder und Sprachen nennen und verstehen.	☐	☐	☐	☐	8	8a–c
✏ ... einen kurzen Text über mich und andere schreiben.	☐	☐	☐	☐	8e	8f

sich vorstellen

der Name, -n _____

mein *(Mein Name ist …)* _____

dein *(Wie ist dein Name?)* _____

Ihr *(Wie ist Ihr Name?)* _____

der Vorname, -n _____

der Nachname, -n _____

buchstabieren _____

heißen _____

sein, er ist _____

wohnen _____

in *(Ich wohne in …)* _____

die Stadt, ¨e _____

wie *(Wie heißt du?)* _____

wer *(Wer bist du?)* _____

wo *(Wo wohnst du?)* _____

woher *(Woher kommst du?)* _____

Das ist Herr/Frau … _____

die E-Mail-Adresse, -n _____

die Handynummer, -n _____

die Telefonnummer, -n _____

Länder und Sprachen

Deutschland _____

Österreich _____

die Schweiz _____

das Land, ¨er _____

kommen _____

aus *(Er kommt aus Spanien.)* _____

die Sprache, -n _____

lernen _____

sprechen, er spricht _____

Welche Sprachen sprechen Sie? _____

Deutsch _____

grüßen und verabschieden

Hallo! _____

Guten Morgen. _____

Guten Tag. _____

Guten Abend. _____

Gute Nacht. _____

Tschüs. _____

Ciao. _____

Bis bald! _____

Auf Wiedersehen. _____

nach dem Befinden fragen

Wie geht's? _____

Sehr gut. _____

Danke, gut. _____

Ganz gut. _____

Zahlen

die Zahl, -en _____

null _____

eins _____

zwei _____

drei _____

vier _____

fünf _____

sechs _____

sieben _____

acht _____

neun _____

zehn _____

elf _____

zwölf _____

dreizehn _____

vierzehn _____

fünfzehn _____

sechzehn _____

siebzehn _____

achtzehn _____

neunzehn _____

zwanzig _____

im Kurs

fragen _____

die Antwort, -en _____

hören _____

lesen, er liest _____

machen _____

notieren _____

raten, er rät _____

sagen _____

sammeln _____

schreiben _____

spielen _____

zu|ordnen _____

der Partner, - _____

die Partnerin, -nen _____

die Person, -en _____

der Text, -e _____

das Wort, ¨er _____

andere wichtige Wörter und Wendungen

die Autobahn, -en _____

die Flasche, -n _____

der Kindergarten, ¨ _____

der Koffer, - _____

Entschuldigung, noch
einmal, bitte. _____

Wie bitte? _____

Das verstehe ich nicht. _____

Bitte ein bisschen
langsamer. _____

Wichtig für mich:

_____

_____

_____

Wichtige Fragen: Ergänzen Sie die W-Wörter.

1. _____ heißen Sie?

2. _____ kommen Sie?

3. _____ wohnen Sie?

4. _____ ist das?

Was sagen Sie? Notieren Sie.

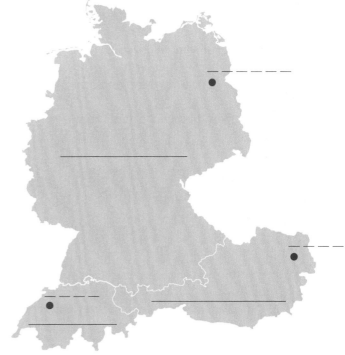

08:10

Guten Morgen! _____

13:20

_____

19:30

_____

23:40

_____

**Welche Länder sind das? Wie heißen die Städte?
Notieren Sie.**

Freunde, Kollegen und ich

1 a   Was machen die Leute gern? Kreuzen Sie an.

1. ⓐ Ich lese gern.
   ⓑ Ich fotografiere gern.

2. ⓐ Ich singe gern.
   ⓑ Ich höre gern Musik.

3. ⓐ Wir reisen gern.
   ⓑ Wir joggen gern.

4. ⓐ Ich koche sehr gern.
   ⓑ Ich gehe gern ins Kino.

5. ⓐ Wir schwimmen gern.
   ⓑ Wir tanzen sehr gern.

6. ⓐ Ich wohne gern in Spanien.
   ⓑ Ich lerne gern Spanisch.

🔊
1.15–17

b   Hören Sie. Welche Sätze sind richtig? Kreuzen Sie an.

1. ⓐ Nina Weber schwimmt gern.
   ⓑ Sie geht nicht gern ins Kino.
   ⓒ Sie liest sehr gern.

2. ⓐ Niklas Jamek reist sehr gern.
   ⓑ Er hört nicht so gern Musik.
   ⓒ Er fotografiert gern.

3. ⓐ Julia Rossi tanzt nicht gern.
   ⓑ Sie joggt sehr gern.
   ⓒ Sie singt gern.

2 a   Was machen Sie gern? Ergänzen Sie die Verben.

1. ○ Joggen Sie gern?   ● Ja, ich _joggc_____ sehr gern.

2. ○ Schwimmen Sie gern?   ● Ja, ich _____ gern.

3. ○ Tanzen Sie gern?   ● Ja, ich _____ sehr gern.

4. ○ _____ Sie gern?   ● Nein, ich koche nicht so gern.

5. ○ _____ Sie gern Musik? ● Ja, sehr gern.

6. ○ _____ Sie gern ins Kino? ● Nein, nicht so gern.

b   Was machen Sie gern? Was machen Sie nicht gern? Schreiben Sie.

Ich _____ gern. Ich _____ nicht gern.

Meine Hobbys, meine Freunde

3 a **Was passt zusammen? Verbinden Sie.**

1. Sophie arbeitet _B_   A Fußball.

2. Betty liest _____   B am Wochenende.

3. Kaan und Sophie kochen _____   C Französisch.

4. Sophie spricht _____   D ein Buch von Daniel Kehlmann.

5. Peter spielt _____   E Spaghetti.

b **Was ist richtig: a oder b? Kreuzen Sie an.**

1. ☐a Ich lese sehr gern. Ich liebe Bücher.
   ☐b Wir lesen sehr gern. Wir lieben Bücher.

2. ☐a Sie kochen gern. Sie haben
        nur ein Hobby: Kochen.
   ☐b Sie kocht gern. Sie hat nur
        ein Hobby: Kochen.

3. ☐a Er spielt gern Fußball und er ist super!
   ☐b Sie spielt gern Fußball und sie ist super!

c **Was ist richtig? Kreuzen Sie an.**

1. Ich ☐ reist ☒ reise gern.
2. Tom ☐ kocht ☐ kochen nicht gern.
3. Nina ☐ singst ☐ singt sehr gern.
4. Wir ☐ lese ☐ lesen nicht gern.

5. Tom und Markus ☐ spielen ☐ spielt gern.
6. Und du? ☐ Joggst ☐ Joggt du gern?
7. ☐ Tanzen ☐ Tanzt Sie gern, Frau Grams?
8. ☐ Fotografierst ☐ Fotografiert ihr gern?

d **Was machen die Leute? Ergänzen Sie die Endungen.**

1. Julia schwimm_t_ gern.

2. Julia und Nina jogg____ gern.

3. Niklas geh____ gern ins Kino.

4. Er tanz____ nicht gern.

5. Nina und Niklas hör____ gern Musik.

6. Fotografier____ ihr gern?

7. Ich sing____ nicht.

8. Wir les____ viel.

9. Koch____ ihr gern?

10. Reis____ Sie gern, Herr Hansen?

e **Ergänzen Sie die Tabelle.**

	spielen	arbeiten	lesen	sprechen
ich	_spiele_	_____	_____	_____
du	_____	_____	_liest_	_____
er/es/sie	_____	_____	_____	_spricht_
wir	_____	_arbeiten_	_____	_____
ihr	_____	_____	_lest_	_____
sie/Sie	_spielen_	_____	_____	_____

f **Ergänzen Sie die Verben in der richtigen Form.**

1. Ich _höre_____ (hören) sehr gern Musik. Aber ich _____ (lesen) nicht so gern.

2. Und du? (lesen) _____ du gern? Und (tanzen) _____ du gern?

3. Andrea _____ (spielen) gern Fußball und sie _____ (lesen) auch gern.

4. Sophie und Tom _____ (joggen) nicht gern. Aber sie _____ (schwimmen) gern.

5. Tom _____ (gehen) gern ins Kino und er _____ (hören) gern Musik.

6. Und ihr, Markus und Peter, _____ (kochen) ihr gern?

7. Nina und ich, wir _____ (reisen) gern. Und wir _____ (fotografieren) gern.

8. Wer _____ (sprechen) Spanisch? Du, Sophie?

g **Schreiben Sie Sätze.**

1. Boris / gern / tanzen / .   _Boris tanzt gern._____

2. Eva / nicht so gern / lesen / .   _____

3. Nina / morgen / arbeiten / .   _____

4. Eva und Nina / gern / reisen / .   _____

5. Eva / sprechen / gut / Deutsch / .   _____

6. Boris / nicht gern / kochen / .   _____

Gehen wir ins Kino?

4 a **Schreiben Sie die Wochentage.**

7	Mo
8	Di
9	Mi
10	Do
11	Fr
12	Sa
13	So

b **Welche Tage sind in Deutschland Arbeitstage? Welche Tage gehören zum Wochenende? Sortieren Sie.**

Arbeitstage

_____

_____

_____

Wochenende

_____

c **Satzmelodie: Frage oder Antwort? Ergänzen Sie . oder ? .**

1. ○ Hören Sie gern Musik?____ ● Ja, sehr gern____ Und Sie____

2. ○ Gehen Sie gern ins Kino____ ● Nein, nicht so gern____ Und Sie____

3. ○ Kochen wir am Wochenende____ ● Ja, gern____

4. ○ Joggen wir morgen____ ● Nein, das geht leider nicht____

5. ○ Sprichst du Englisch____ ● Ja, und du____

d **Hören Sie und kontrollieren Sie. Sprechen Sie dann mit.**

1.18

e **Hören Sie und sprechen Sie nach.**

1.19

1. ○ Was machen wir am Samstag? ↘ ● Wir gehen ins Kino. ↘

2. ○ Was machen Sie am Sonntag? ↘ ● Ich lese ein Buch. ↘

3. ○ Wann joggst du? ↘ ● Am Montag und am Donnerstag. ↘

4. ○ Kochen wir am Sonntag Spaghetti? ↗ ● Ja, gern. ↘

5. ○ Was machst du am Wochenende? ↘ ● Ich arbeite am Wochenende. ↘

6. ○ Spielst du gern Fußball? ↗ ● Nein, nicht so gern. ↘

5 a **Ergänzen Sie und notieren Sie das Lösungswort.**

	1.	C	A	F	É			

Lösungswort: _____

b **Hören Sie. Was machen die Personen? Kreuzen Sie an.**

1.20–22

1. Sie gehen ☐ am Mittwoch ☐ ins Kino.
   ☐ am Donnerstag ☐ ins Café.
   ☒ am Freitag ☐ ins Museum.

2. Sie gehen ☐ am Freitag ☐ ins Theater.
   ☐ am Samstag ☐ ins Restaurant.
   ☐ am Montag ☐ ins Museum.

3. Sie gehen ☐ am Sonntag ☐ ins Schwimmbad.
   ☐ am Dienstag ☐ ins Stadion.
   ☐ am Samstag ☐ ins Restaurant.

c **Ordnen Sie die Dialoge in die richtige Reihenfolge. Nummerieren Sie.**

Dialog A

_____ ○ Ja, das geht.

_____ ● Super.

_____ ● Am Montag? Das geht leider nicht.
Am Dienstag?

_1_ ○ Gehen wir am Montag ins Schwimmbad?

Dialog B

_____ ● Ja, super.

_____ ● Ja, gern. Wann?

_____ ○ Am Samstag?

_____ ● Am Freitag? Das geht leider nicht.

_____ ○ Gehen wir ins Theater?

_____ ○ Am Freitag?

d **Schreiben Sie Ja-/Nein-Fragen.**

1. wir / am Dienstag / ins Museum / gehen / ?   _Gehen_   _wir am Dienstag ins Museum?_

2. ihr / am Mittwoch / Deutsch / lernen / ?   _____ _____

3. du / am Donnerstag / Spaghetti / kochen / ?   _____ _____

4. wir / am Freitag / joggen / ?   _____ _____

5. du / am Samstag / ins Café / kommen / ?   _____ _____

6. Sie / am Sonntag / ins Stadion / gehen / ?   _____ _____

Mein Beruf

6 **Ergänzen Sie die Artikel.**

1. _____ Taxifahrer	_____ Auto	_____ Schlüssel	_____ Straße
2. _____ Studentin	_____ Computer	_____ Buch	_____ Stift
3. _____ Ärztin	_____ Spritze	_____ Medikament	_____ Tablette
4. _____ Kellner	_____ Glas	_____ Rechnung	_____ Geld

7 a **Welcher Artikel passt? Ordnen Sie die Wörter zu.**

~~Universität~~ | Arzt | Zimmer | Studentin | Wochenende | Kurs | Jahr | Patient | Tag |
Stunde | Krankenhaus | Woche | Kino | Restaurant | Kilometer | Seminar | Krankenpfleger

der	das	die
		Universität,

b **Ergänzen Sie die Zahlen.**

achtzig | dreißig | hundert | neunzig | sechzig | fünfzig | vierzig | ~~zehn~~ | zwanzig | siebzig

10 _zehn_	20 _____	30 _____	40 _____	50 _____
60 _____	70 _____	80 _____	90 _____	100 _____

c **Hören Sie und notieren Sie die Zahlen. Schreiben Sie dann die Wörter.**

1.23

A _27_ _siebenundzwanzig_ _____

B ____ _____

C ____ _____

D ____ _____

E ____ _____

F ____ _____

G ____ _____

H ____ _____

d **Spielen Sie mit zwei Würfeln.**
Sprechen Sie die Zahlen.

Würfel 1   Würfel 2

Zweiundfünfzig.

e **Lesen Sie die Zahlen laut. Hören Sie dann zur Kontrolle.**

1.24

| A 984 | C 7.532 | E 611 | G 30.290 | I 2.015 |
| B 8.349 | D 304 | F 52.351 | H 1.024 | J 65.271 |

f **Lesen Sie noch einmal die Texte im Kursbuch, Aufgabe 7a und lösen Sie die Aufgaben.**

Text A: Ordnen Sie zu.

1. Amina Mazin ist _____   A sehr groß.

2. Die Universität ist _____   B am Nachmittag.

3. Sie lernt _____   C im Kino.

4. Sie arbeitet am Samstag _____   D Studentin.

Text B: Lesen Sie die Sätze und korrigieren Sie die falschen Angaben.

1. Leon Schöppe ist ~~Taxifahrer~~ von Beruf.   _Kellner_ _____

2. Er arbeitet in drei Restaurants.   _____

3. Er hat am Abend und am Wochenende frei.   _____

4. Er arbeitet am Montag und am Dienstag.   _____

Text C: Ordnen Sie Fragen und Antworten zu.

1. Was ist Fabian Höflinger von Beruf? _____   A 68.000 pro Jahr.

2. Wo arbeitet Herr Höflinger? _____   B Bei „Taxi Zentral".

3. Wie viele Kilometer fährt er? _____   C Am Freitag.

4. Wann hat er frei? _____   D Taxifahrer.

Text D: Ergänzen Sie.

Zimmer | Wochenende | Ärztin | Krankenhaus

Magda Donat ist (1) _____. Sie arbeitet im (2) _____.

Das Krankenhaus hat 480 (3) _____. Ärzte arbeiten auch

am (4) _____ und nachts.

8 a Ordnen Sie zu und markieren Sie die Pluralendungen.

Ärzte | Tabletten | Berufe | Bücher | Restaurants | Stunden | Kinos | Zimmer | Tage | Wochen | Taxifahrer | <u>Schlüssel</u> | Wörter | Häuser | Cafés

Singular	Plural	Singular	Plural
der Schlüssel	*die Schlüssel*	die Woche	_____
der Taxifahrer	_____	die Stunde	_____
das Zimmer	_____	die Tablette	_____
der Beruf	_____	das Wort	_____
der Arzt	_____	das Buch	_____
der Tag	_____	das Haus	_____
das Kino	_____		
das Café	_____		
das Restaurant	_____		

b Schreiben Sie die Pluralformen.

1. der Stift – *die Stifte*   4. das Auto – _____   7. die Straße – _____

2. der Kurs   – _____   5. das Glas – _____   8. das Schwimmbad – _____

3. das Taxi – _____   6. das Jahr – _____   9. der Kilometer – _____

9 a Wie heißen die Berufe? Notieren Sie und ergänzen Sie in Ihrer Sprache.

der/die Handwerker/in | der/die Polizist/in | der/die Elektriker/in | der Koch / die Köchin | der/die Erzieher/in | der/die Journalist/in | der/die Mechaniker/in | der/die Jurist/in

1. *der Handwerker*   3. _____   5. _____   7. _____

_____   _____   _____

2. *die* _____   4.    6. _____   8. _____

_____   _____   _____   _____

b Notieren Sie drei wichtige Berufe. Arbeiten Sie mit dem Wörterbuch.

c **Berufe: Männer und Frauen. Ergänzen Sie die Wörter.**

1. _der Arzt_____ / die Ärztin

2. der Student / _____

3. _____ / die Köchin

4. der Lehrer / _____

5. der Kellner / _____

6. _____ / die Verkäuferin

7. der Polizist / _____

8. _____ / die Architektin

d **Was ist richtig? Kreuzen Sie an.**

1. Emily ☐ bin ☐ ist ☐ sind Studentin.
2. Wann ☐ habe ☐ hast ☐ hat Leon frei?
3. ☐ Hast ☐ Hat ☐ Haben du ein Hobby?
4. Sophie und Betty ☐ bist ☐ seid ☐ sind Ärztinnen.
5. Ich ☐ habe ☐ hast ☐ hat am Wochenende frei.
6. ☐ Ist ☐ Sind ☐ Seid ihr Freundinnen?

7. Was ☐ ist ☐ sind ☐ seid Sie von Beruf?
8. Wir ☐ bin ☐ seid ☐ sind Lehrer.

G

Plural
die Ärztin – die Ärztin**nen**
die Köchin – die Köchin**nen**

e **Ergänzen Sie die Verben in der richtigen Form.**

1. Was _bist_____ du von Beruf? (sein)

2. Wo _____ du? (arbeiten)

3. Frau Miller _____ Verkäuferin. (sein)

4. Sie _____ in Berlin. (arbeiten)

5. Ich _____ viele Freunde. (haben)

6. Sie _____ Studenten. (sein)

7. Wir _____ heute nicht. (arbeiten)

8. Wir _____ frei. (haben)

f **Wählen Sie.**

A Und Sie? Schreiben Sie die Sätze.

1. Ich bin _____.

2. Ich arbeite bei _____.

3. Ich arbeite von _____ bis _____.

4. Ich habe am _____ frei.

B Schreiben Sie mit den Informationen einen kurzen Text.

Paula Santos
Lehrerin
arbeiten: von Montag bis Freitag
freihaben: am Wochenende

Artikel lernen

10 **Arbeiten Sie mit dem Wörterbuch. Suchen Sie fünf Wörter. Wie heißt der Artikel? Wie heißt der Plural? Machen Sie eine Tabelle.**

Artikel	Wort	Plural

11 a **der, das oder die? Markieren Sie die Wörter und ergänzen Sie den Artikel.**

1. _die_ Ärztin
2. _____ Kino
3. _____ Tag
4. _____ Stunde
5. _____ Schwimmbad
6. _____ Student
7. _____ Architekt
8. _____ Restaurant
9. _____ Auto
10. _____ Schule
11. _____ Taxi
12. _____ Jahr
13. _____ Arbeit
14. _____ Woche
15. _____ Beruf

!

Nomen und Artikel
Notieren Sie Nomen und Artikel immer zusammen und mit drei Farben:
der, *das* und *die*.

b   Arbeiten Sie mit dem Lernwortschatz in Kapitel 1 und 2. Markieren Sie alle Nomen mit Artikel in der passenden Farbe.

c   Arbeiten Sie zu dritt. Notieren Sie alle Nomen aus Kapitel 1 und 2 mit Artikel auf Karten. Legen Sie die Karten in die Mitte. Eine/r liest das Nomen ohne Artikel, die anderen nennen den Artikel. Wer antwortet zuerst richtig? Er/Sie bekommt die Karte. Dann nimmt der/die Nächste eine Karte und liest vor.

Name   *Der!*   *Das!*

D e r Name ist richtig!

Neu im Club

12 a   Welche Wörter passen zu den Fragen? Notieren Sie. Manche Wörter passen nicht.

~~Vorname~~ | Nachname | weiblich | männlich | Hausnummer | Geburtsdatum | E-Mail | Telefonnummer | Wohnort | Straße | Firma | Schule | Postleitzahl | Familienname

1. Wie heißen Sie?   _Vorname,_ _____

2. Wo wohnen Sie? _____

3. Wo arbeiten Sie? _____

b   Lesen Sie und ergänzen Sie die Daten im Formular.

Tobias Gruber ist am 7. Dezember 1990 in Berlin geboren. Er wohnt schon drei Jahre in Wien. Er ist Informatiker und arbeitet in einem Krankenhaus.

Vorname	_____
Nachname	_____
Geburtsdatum	_____
Wohnort	_____
Beruf	_____

🔊 1.25

c   Hören Sie das Gespräch. Was ist richtig? Markieren Sie die richtigen Informationen.

Vorname	*Eli / Elias*
Nachname	*Mauer / Maurer*
Straße, Hausnummer	*Parkstraße 7 / Parkstraße 17*
Postleitzahl, Wohnort	*80734 München / 80724 München*
E-Mail-Adresse	*elias.maurer@gmx.de / elias_maurer@gmx.com*
Telefon-/Handynummer	*0175 – 89 45 78 32 / 0175 – 98 74 22 43*

R1 Was machen Sie gern? Sprechen Sie mit einem Partner / einer Partnerin.

A

Fragen Sie Ihren Partner / Ihre Partnerin.
reisen, lesen, schwimmen, tanzen

**Ihr Partner / Ihre Partnerin fragt. Antworten Sie.
Das machen Sie:**
☺ kochen ☺ joggen ☹ fotografieren, singen

B
Ihr Partner / Ihre Partnerin fragt. Antworten Sie.
Das machen Sie:
☺ reisen, schwimmen ☺ lesen ☹ tanzen

Fragen Sie Ihren Partner / Ihre Partnerin.
kochen, fotografieren, joggen, singen

Q Ich kann über Hobbys sprechen.

☺☺	☺	☺	☹	KB	ÜB
☐	☐	☐	☐	1–3	1–3a

R2 Hören Sie. Welche Antwort ist richtig? Kreuzen Sie an.

1.26–27

	Beruf	Arbeitszeit	Freizeit
1. Monika Schulz	☐ Technikerin ☐ Taxifahrerin	☐ Dienstag bis Samstag ☐ Montag bis Freitag	☐ Sonntag und Montag ☐ am Wochenende
2. Cem Atan	☐ Student ☐ Arzt	☐ auch am Wochenende ☐ Montag bis Donnerstag	☐ Mittwoch bis Freitag ☐ Montag und Dienstag

Ich kann einfache Informationen über Beruf, Arbeitszeit und Freizeit verstehen.

☺☺	☺	☺	☹	KB	ÜB
☐	☐	☐	☐	7a, 7c–d	7f, 9a–c

R3 Was sind Sie von Beruf? Ordnen Sie die Antworten zu.

1. Was bist du von Beruf? _____
2. Wann arbeitest du? _____
3. Wo arbeitest du? _____
4. Wann hast du frei? _____

A Am Wochenende: Samstag und Sonntag.
B An der Universität in Berlin.
C Von Montag bis Freitag.
D Architektin.

Ich kann über Arbeit, Beruf und Arbeitszeiten sprechen und schreiben.

☺☺	☺	☺	☹	KB	ÜB
☐	☐	☐	☐	7d, 9	9f

Außerdem kann ich ...

	☺☺	☺	☺	☹	KB	ÜB
... die Wochentage verstehen und benennen.	☐	☐	☐	☐	4a, 5	4a–b, 5b
... mich verabreden.	☐	☐	☐	☐	5	5c–d
... die Zahlen ab 20 verstehen und nennen.	☐	☐	☐	☐	7b	7b–e
... Informationen in Wörterbüchern finden.	☐	☐	☐	☐	10	10
... mit Strategien Nomen und Artikel lernen.	☐	☐	☐	☐	11	11
... ein Formular ausfüllen.	☐	☐	☐	☐	12	12

in der Freizeit

das Hobby, -s _____

das Buch, ¨er _____

das Café, -s _____

der Computer, - _____

die Verabredung, -en _____

wann *(Wann gehen wir ins Café?)* _____

der Freund, -e _____

die Freundin, -nen _____

die Leute (Pl.) _____

der Fußball (Sg.) _____

Tennis spielen _____

joggen _____

das Kino, -s _____

das Theater, - _____

das Museum, Museen _____

die Musik (Sg.) _____

das Schwimmbad, ¨er _____

schwimmen _____

fotografieren _____

das Foto, -s _____

kochen _____

reisen _____

singen _____

tanzen _____

frei|haben, er hat frei _____

Berufe und Arbeit

arbeiten _____

bei *(Ich arbeite bei …)* _____

der Beruf, -e _____

von _____

Was sind Sie von Beruf? _____

der Arzt, ¨e _____

die Ärztin, -nen _____

das Krankenhaus, ¨er _____

der Friseur, -e _____

die Handwerkerin, -nen _____

der Journalist, -en _____

die Kellnerin, -nen _____

der Koch, ¨e _____

die Köchin, -nen _____

der Krankenpfleger, - _____

das Restaurant, -s _____

der Kollege, -n _____

die Kollegin, -nen _____

die Firma, Firmen _____

der Lehrer, - _____

die Schule, -n _____

der Kurs, -e _____

die Mechanikerin, -nen _____

der Polizist, -en _____

die Studentin, -nen _____

studieren _____

die Universität, -en _____

das Seminar, -e _____

der Taxifahrer, - _____

das Taxi, -s _____

das Auto, -s _____

fahren, er fährt _____

die Verkäuferin, -nen _____

Zeit

der Abend, -e _____

der Nachmittag, -e _____

der Moment, -e _____

im Moment _____

die Stunde, -n _____

der Tag, -e _____

die Woche, -n _____

pro Woche _____

das Wochenende, -n _____

der Wochentag, -e _____

das Jahr, -e _____

alt _____

Ich bin … Jahre alt. _____

der Termin, -e _____

morgen _____

nachts _____

meistens _____

noch _____

Wochentage

Montag _____

Dienstag _____

Mittwoch _____

Donnerstag _____

Freitag _____

Samstag _____

Sonntag _____

Informationen zur Person

die Information, -en _____

der Familienname, -n _____

die Adresse, -n _____

die Straße, -n _____

die Hausnummer, -n _____

die Postleitzahl, -en _____

der Wohnort, -e _____

das Geburtsdatum, -daten _____

der Geburtsort, -e _____

männlich _____

weiblich _____

das Formular, -e _____

andere wichtige Wörter und Wendungen

ja _____

nein _____

die Notiz, -en *(Machen Sie Notizen.)* _____

das Beispiel, -e _____

der Schlüssel, - _____

das Wörterbuch, ⸚er _____

das Zimmer, - _____

haben, er hat *(Ich habe vier Seminare pro Woche.)* _____

passen _____

suchen _____

warten _____

alle _____

hier _____

gern _____

Ich schwimme gern. _____

gehen _____

Es geht so. _____

leider _____

Das geht leider nicht. _____

groß _____

lustig _____

neu _____

super _____

toll _____

viel _____

wirklich _____

Wichtig für mich:

_____

_____

_____

Schreiben Sie die Wochentage auf Deutsch in Ihren Kalender.

In Hamburg

1 a   **Bremen. Ergänzen Sie die Wörter.**

Bahnhof | Fluss | Hafen | Menschen | Schiffe | Städte | Züge

A In Bremen ist – wie in Hamburg – ein Hafen.

Der (1) _____ ist sehr wichtig.

Pro Jahr kommen 6.000 (2) _____.

Der (3) _____ in Bremen heißt

Weser.

B Das ist der (4) _____ von Bremen.

Täglich fahren 530 (5) _____

nach Hamburg, München und in andere

(6) _____. Hier arbeiten 350

(7) _____.

b   **Was ist das? Markieren Sie fünf Wörter in der Wortschlange. Ergänzen Sie dann den Text.**

MATIRATHAUSGESUALTRAHGBREITDISAHOCHPATILANGWESAL

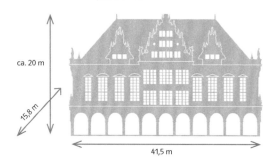

ca. 20 m

15,8 m

41,5 m

Das ist das (1) _Rathaus_ von Bremen. Es ist 600 Jahre

(2) _____. Es ist nicht groß: Es ist 41 Meter

(3) _____ und 16 Meter (4) _____.

Das Rathaus von Bremen ist circa 20 Meter (5) _____.

> **!** Sie finden den Plural in der Wortliste
> *Mensch, der, **-en** = die Menschen*

c   **Schreiben Sie die Nomen mit Artikel und Plural.**

1. M*NSCH   _der Mensch, die Menschen_
2. B*S*CH*R _____
3. ST*DT _____

4. L*ND _____
5. K*NZ*RT _____
6. BR*CK* _____

d   **Was gibt es in Ihrer Stadt?**
Notieren Sie.

meine Stadt — *Fluss: Wolga*

Die Taxifahrt

🔊 1.28

2 a Hören Sie das Gespräch im Taxi. Notieren Sie die Reihenfolge.

_____ Museum   _____ Kirche   _____ Theater

_1_ Rathaus   _____ Bahnhof

🔊 1.29

→•←

b Wählen Sie.

A Hören Sie den Dialog und ergänzen Sie. Spielen Sie dann zu zweit.

B Ergänzen Sie den Dialog und hören Sie zur Kontrolle. Spielen Sie dann zu zweit.

Und das? Ist das ein Museum? | H̶a̶l̶l̶o̶, zum Bahnhof, bitte. | Nein, leider nicht. | Auf Wiedersehen. | Ah, das ist schön. | Hier, bitte. | Sind wir schon da?

○ Guten Tag!

● _Hallo,_ _____

○ Ja, gern. Kennen Sie Bremen?

● _____

○ Hier ist das Theater.

● _____

○ Das Theater ist 110 Jahre alt.

● _____

○ Nein, das ist ein Kino, das Kino am Bahnhof.

● _____

○ Ja. Da vorne ist der Bahnhof. Das macht 11 Euro.

● _____

○ Vielen Dank. Auf Wiedersehen.

● _____

c Welcher Artikel passt? Notieren Sie die Nomen mit Artikel und Plural.

das   das   der

das   der   der

die   das   das

Hotel   See   Rathaus
Konzerthaus   Theater   Kirche
Fluss   Bahnhof   Museum

_____   _____
_____   _____
_____   _____
_____   _____

3   **Wie heißt der Artikel? Wählen Sie und markieren Sie die Lösungen farbig.**

17 der	38 das	26 die	Schiff
44 der	58 das	36 die	Hafen
56 der	40 das	58 die	Turm
24 der	4 das	46 die	Brücke
53 der	34 das	14 die	Kino
50 der	28 das	48 die	Taxi
2 der	27 das	12 die	Stadt
10 der	15 das	30 die	Zug

(1) (2) (3) (4) (5) (6) (7) (8) (9) (10)
(20) (19) (18) (17) (16) (15) (14) (13) (12) (11)
(21) (22) (23) (24) (25) (26) (27) (28) (29) (30)
(40) (39) (38) (37) (36) (35) (34) (33) (32) (31)
(41) (42) (43) (44) (45) (46) (47) (48) (49) (50)
(60) (59) (58) (57) (56) (55) (54) (53) (52) (51)

4 a   **Notieren Sie den bestimmten Artikel. Kreuzen Sie dann *ein* oder *eine* an.**

1. __die__ Sprache ☐ ein ☒ eine   4. _____ Freund ☐ ein ☐ eine

2. _____ Film ☐ ein ☐ eine   5. _____ Freundin ☐ ein ☐ eine

3. _____ Foto ☐ ein ☐ eine   6. _____ Hotel ☐ ein ☐ eine

b   **Was ist das? Ergänzen Sie *ein, eine* oder –.**

1. Das „Metropol" ist __ein__ Kino.   4. Taxifahrer ist _____ Beruf.

2. Im Hafen sind _____ Schiffe.   5. Nina ist _____ Name.

3. Bremen ist _____ Stadt.   6. Die Schweiz ist _____ Land.

c   **Was ist das? Ergänzen Sie *ein, eine, –* und *der, das, die*.**

1. Das ist _____ Schiff. _____ Schiff heißt Maria.

2. Das ist _____ Zug. _____ Zug fährt nach Berlin.

3. Bremen ist _____ Stadt in Deutschland. _____ Stadt ist sehr interessant.

4. Das sind _____ Türme. _____ Türme sind sehr hoch.

5. Der Michel ist _____ Kirche. _____ Kirche ist das Symbol von Hamburg.

6. Die Elbe und die Weser sind _____ Flüsse. _____ Flüsse sind sehr breit.

7. Das „Capitol" ist _____ Kino. _____ Kino ist sehr alt und schön.

◀))◯ **5 a**   **Hören Sie. Ist der Vokal lang oder kurz?**
1.30

	lang	kurz			lang	kurz			lang	kurz
1. N**a**me	☒	☐	4. M**i**ttwoch		☐	☐	7. g**u**t		☐	☐
2. Spr**a**che	☐	☐	5. D**o**nnerstag		☐	☐	8. b**i**tte		☐	☐
3. L**a**nd	☐	☐	6. S**a**mstag		☐	☐	9. d**a**nke		☐	☐

b   **Hören Sie noch einmal und sprechen Sie nach.**

🔊💬 1.31
→•←

c Wählen Sie.

A Hören Sie und markieren Sie _ für lang und . für kurz. Sprechen Sie dann nach.

1. a oder a̱: fragen – machen – arbeiten
2. e oder e̱: lesen – sprechen – sehen
3. i oder i̱: Kino – Film – richtig

B Hören Sie und sprechen Sie nach.

4. o oder o̱: Foto – Hobby – kommen
5. u oder u̱: Schule – Kurs – Nummer

Kein Glück?!

6 a Ordnen Sie die Wörter zu.

der Bus | das Fahrrad | das Flugzeug | die S-Bahn | die Straßenbahn | die U-Bahn

1. _____ 3. _____ 5. _____

2. _____ 4. _____ 6. _____

b Markieren Sie die Verkehrsmittel. Die anderen Buchstaben bilden die Lösung. Notieren Sie.

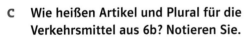
ZBUSUFTAXIUßAUTOGFAHRRADEHZUGEUBAHNNFLUGZEUG

Lösung: __ __ __ __ __ __ __ __ __ __

c Wie heißen Artikel und Plural für die Verkehrsmittel aus 6b? Notieren Sie.

der Bus, die Busse

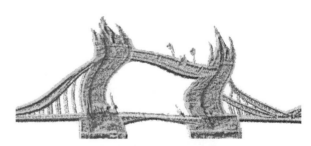

d Was ist das? Ergänzen Sie e oder –.

○ Also, ratet mal: Es ist (1) kein e Straßenbahn und auch (2) kein__ Bus.

● (3) Ein__ Auto!

○ Nein, (4) kein__ Auto und auch (5) kein__ Fahrrad.

△ Also, (6) ein__ U-Bahn?

○ Ja, genau.

● Okay, seht ihr das Bild? Was ist das? Es ist (7) kein__ Kirche.

△ Das sind zwei Türme!

● Nein, (8) kein__ Türme und auch (9) kein__ Rathaus.

○ Was ist es?

● (10) Ein__ Brücke! Die Tower Bridge in London.

e   Das ist … Kreuzen Sie an und ergänzen Sie.

1. Das ist ☒ kein ☐ keine
   Restaurant, das ist

   ein Café .

3. Das ist ☐ kein ☐ keine
   Turm, das ist

   _____ .

5. Das sind ☐ kein ☐ keine
   Fotos, das sind

   _____ .

2. Das ist ☐ kein ☐ keine
   Straßenbahn, das ist

   _____ .

4. Das sind ☐ kein ☐ keine
   Autos, das sind

   _____ .

6. Das ist ☐ kein ☐ keine
   Theater, das ist

   _____ .

**f   Was ist auf den Bildern, was nicht? Ergänzen
       Sie ein/eine/– oder kein/keine?**

1. Auf dem Bild sind _____
   Bus und _____ Fahrkarte,
   aber _____ Fahrrad.

3. Auf dem Bild sind _____ Schiffe,
   aber _____ Flugzeuge.

2. Auf dem Bild sind _____
   Frau und _____ Auto,
   aber _____ Mann.

4. Auf dem Bild sind _____
   Bahnhof und _____ Züge,
   aber _____ Menschen.

g   ein/eine/–, kein/keine oder der/das/die? Ergänzen Sie.

1. Berlin ist _kein_ Land, Berlin ist _eine_ Stadt.

2. In Bremen ist _____ Hafen. _____ Hafen ist sehr groß.

3. Auf der Straße fahren _____ Autos, aber _____ Züge.

4. ○ Ist das _____ Hotel? ● Nein, das ist leider _____ Hotel.

5. ○ Ist hier _____ Restaurant? ● Ja, _____ Restaurant „Berna". Es ist sehr schön.

6. ○ Wie heißt _____ Fluss? ● Isar. Hier fahren leider _____ Schiffe.

✎ **h   Was ist in Ihrer Stadt? Was nicht? Schreiben Sie über Ihre Stadt.**

In Toledo sind Hotels und Kirchen, aber kein Hafen.

Links, rechts, geradeaus

7 a Hören Sie und sehen Sie den Plan an. Welcher Weg ist das: 1, 2 oder 3?

1.32–34

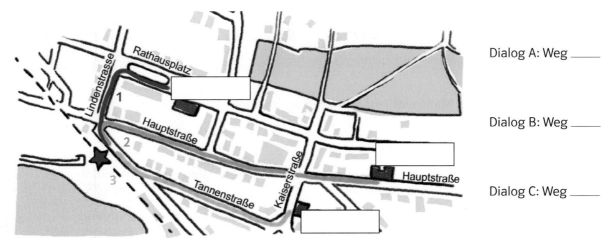

Dialog A: Weg _____

Dialog B: Weg _____

Dialog C: Weg _____

b Hören Sie noch einmal. Schreiben Sie die Gebäude in den Plan.

8 a Ergänzen Sie *links*, *rechts* und *geradeaus*.

1. ○ Entschuldigung, wo ist der Bahnhof?

   ● Gehen Sie hier _____ und dann

   _____. Gehen Sie immer

   _____. Da ist der Bahnhof.

   ○ Vielen Dank.

   ● Bitte!

2. ○ Hallo, ich suche das Hotel „Zentral".

   ● Gehen Sie hier _____. Dort ist der Park.

   Da gehen Sie _____ und dann gleich

   _____.

   ○ Danke.

   ● Bitte, gern.

3. ○ Entschuldigung, wo ist bitte der Markt?

   ● Der Markt? Hier gleich _____ und

   geradeaus. Dann gehen Sie _____.

   Dann noch mal _____ und Sie sind da.

   ○ Vielen Dank.

b Aufforderungen. Schreiben Sie Sätze.

1. zur U-Bahn / gehen / Sie   _Gehen Sie zur U-Bahn._

2. zu Fuß / gehen / Sie   _____

3. zum Marktplatz / Sie / fahren   _____

4. rechts / gehen / und dann links / Sie _____

c Was soll der Mann machen? Schreiben Sie im Imperativ mit _Sie_.

1. _Gehen Sie links._ _____ (links gehen)

   Da ist die Straßenbahn, Nummer 42.

2. _____ (fahren zum Bahnhof)

   Da fährt die U-Bahn, Nummer 3.

3. _____ (zum Rathaus fahren)

   Dort ist die Hauptstraße.

4. _____ (100 m geradeaus gehen)

   Dann kommt die Brechtstraße.

5. _____ (rechts gehen)

   Da ist das Hotel „Therese"!

d Wo ist …? Schreiben Sie die Antworten. Die Pfeile in Klammern helfen.

1. ○ Entschuldigung, wo ist das Rathaus?

   ● _Gehen Sie geradeaus und dann rechts._ _____ (↑, dann →)

2. ○ Ich suche das Hotel „Alster".

   ● _____ (←, dann →)

3. ○ Wo ist der Hafen, bitte?

   ● _____ (←, dann ↑)

4. ○ Entschuldigung. Wo ist der Bahnhof?

   ● _____ (↑, ←, →)

e Arbeiten Sie zu zweit. Notieren Sie drei Orte in der Nähe. Fragen Sie Ihren Partner / Ihre Partnerin. Er/Sie antwortet. Arbeiten Sie mit dem Wörterbuch.

Entschuldigung, wo ist der Bahnhof?

Gehen Sie rechts und dann geradeaus. Dann links, da ist der Bahnhof.

Events in Hamburg

🔊
1.35

💬

9 a Hören Sie. Welches Wort ist deutsch? Kreuzen Sie an und notieren Sie das deutsche Wort mit Artikel.

1. a b c _____   3. a b c _____

2. a b c _____   4. a b c _____

b Lesen Sie die Anzeigen. Markieren Sie die internationalen Wörter.

A

Hamburg rockt und swingt
Elbjazz Festival 30.5. bis 1.6.
Internationales Musikfestival im Hafen
und in der Hafencity

www.elbjazz.de

B

Stage Theater im Hafen
Der Star unter den Musicals
König der Löwen
Di/Mi 18:30 Uhr; Do/Fr 20:00 Uhr
Sa/So 15:00 Uhr und 20:00 Uhr

Tickets ab 69,90 €

C

Open-Air-Festival am Ring
Internationale und deutsche Stars:
Culcha Candela, Peter Fox, Zaz, Coldplay,
Söhne Mannheims und andere
10. 06. und 11. 06.
Karten: 1 Tag 25,– €; 2 Tage 40,– €
Rock das ganze Wochenende!

D

🌙

!!! Filmnacht im Filmpalast !!!
2 Topfilme und danach Party bis 6 Uhr

Jeden Samstag um 22 Uhr
Karten 15,– €
Popcorn inklusive

E

Hamburgs Touristenattraktion
für die ganze Familie!

MINIATUR WUNDERLAND
Modelleisenbahnen & alles über Züge

Öffnungszeiten:
täglich von 9:30–18:00 Uhr, 365 Tage im Jahr

F

NDR Elbphilharmonie Orchester
Stargast: David Garrett (Violine)

Violinkonzerte von Mozart und Sibelius
Dirigent: Alan Gilbert

25. Mai
Beginn: 19:00 Uhr

---

c Lesen Sie noch einmal. Welche Anzeige passt zu den Personen? Ordnen Sie zu.

1. Familie Orzan hört gern Mozart.   Anzeige _____

2. Benedikt und Yasmin finden Kino toll.   Anzeige _____

3. Frederik hat am Montag Zeit für seine Kinder.   Anzeige _____

4. Johanna hört gern Rockmusik.   Anzeige _____

Jahreszeiten in D-A-CH

10 a **Markieren Sie die Monate und die Jahreszeiten mit zwei Farben.**

A	F	D	F	J	A	U	G	U	S	T	K	O	J	N	N
Ö	E	S	O	M	M	E	R	Y	E	N	A	M	A	I	O
B	B	N	A	P	R	I	L	K	P	J	O	C	N	R	V
F	R	Ü	H	L	I	N	G	R	T	U	K	Y	U	H	E
Q	U	W	L	R	T	Z	H	N	E	N	T	W	A	B	M
O	A	D	O	F	J	U	L	I	M	I	O	C	R	E	B
K	R	S	N	M	Ä	R	Z	F	B	B	B	I	L	S	E
H	E	R	B	S	T	J	F	D	E	Z	E	M	B	E	R
O	F	E	T	W	I	N	T	E	R	U	R	L	L	O	T

! In A (und Teilen von CH) heißt der *Januar* auch *Jänner*.

b **Lesen Sie die Beiträge im Forum und ergänzen Sie.**

April | fahre | ~~fotografiere~~ | Wochenende | Hobby | schwimme | Sommer | super | wohne

Meine Jahreszeit ist …

mia12123
… der Winter! Ich (1) _fotografiere_ gern. Es ist so schön im Winter.

Ich (2) _____ in Garmisch, in den Alpen. Das ist einfach

(3) _____!

penny-solo
… nicht der Winter. Frühling! Ich (4) _____ gern Fahrrad,

besonders im (5) _____ und Mai. Meine Freundin und ich fahren

am (6) _____ immer zusammen. Ich liebe es!

See& Sonne82
… der Sommer! Ich wohne in Bregenz am Bodensee und ich

(7) _____ sehr gern. Das ist mein (8) _____.

Der (9) _____ ist toll!

c **Was machen Sie gern? Wann machen Sie das? Schreiben Sie einen Beitrag für das Forum in 10b.**

Wann?
im Frühling, im Sommer …
im Januar, im Februar …

Was?
Fahrrad fahren, Fußball/… spielen,
schwimmen, reisen, fotografieren …

R1 **Wie heißt das auf Deutsch? Schreiben Sie die Wörter mit Artikel.**

1. _____ 2. _____ 3. _____ 4. _____

	☺☺ ☺ ☺ ☹	KB	ÜB
🔊 �940 Ich kann Plätze und Gebäude verstehen und benennen.	☐ ☐ ☐ ☐	1a–c, 2	1, 2

R2 **Formulieren Sie die Fragen und Antworten.**

1. (Museum? ~~Museum~~ Theater)   ○ *Ist das ist ein Museum?* _____

   ● *Nein, das ist kein Museum. Das ist ein Theater.*

2. (Hotel? ~~Hotel~~ Restaurant)   ○ _____

   ● _____

3. (Bahnhof? ~~Bahnhof~~ Kirche)   ○ _____

   ● _____

	☺☺ ☺ ☺ ☹	KB	ÜB
Q Ich kann Fragen zu Orten stellen und antworten.	☐ ☐ ☐ ☐	4	4b–c

R3 **Sprechen Sie mit einem Partner / einer Partnerin. A fragt nach dem Weg zum Bahnhof. B fragt nach dem Weg zum Markt. Beschreiben Sie den Weg.**

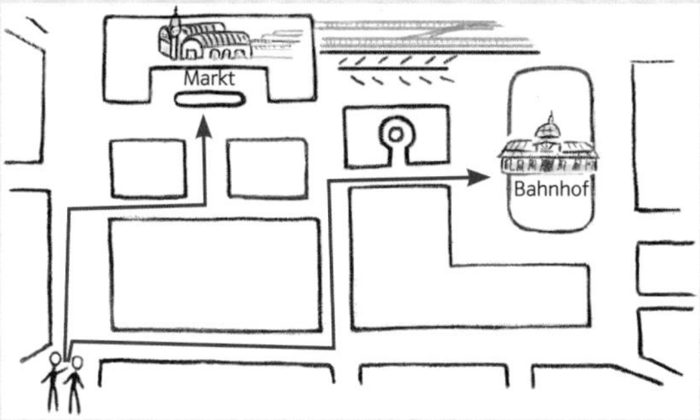

	☺☺ ☺ ☺ ☹	KB	ÜB
Q Ich kann nach dem Weg fragen und einen Weg beschreiben.	☐ ☐ ☐ ☐	7c, 8	8

Außerdem kann ich ...	☺☺ ☺ ☺ ☹	KB	ÜB
Q 🖉 ... eine Stadt beschreiben.	☐ ☐ ☐ ☐	1d	6h
Q ... Verkehrsmittel benennen.	☐ ☐ ☐ ☐	6a–b	6a–c
Q ... nach Dingen fragen.	☐ ☐ ☐ ☐	6c	6d–g
🔊 ... einfache Wegbeschreibungen verstehen.	☐ ☐ ☐ ☐	7a–b	7
📖 ... Texte mit internationalen Wörtern verstehen.	☐ ☐ ☐ ☐	9a–c	9
Q ... Monate und Jahreszeiten verstehen und benennen.	☐ ☐ ☐ ☐	10a–b	10a
Q 🖉 ... über Hobbys sprechen und schreiben.	☐ ☐ ☐ ☐	10c	10b–c

3

eine Stadttour

der Mensch, -en _____

das Haus, ⸚er _____

das Rathaus, ⸚er _____

das Konzerthaus, ⸚er _____

die Kirche, -n _____

der Turm, ⸚e _____

das Hotel, -s _____

die Brücke, -n _____

der Park, -s _____

der Markt, ⸚e _____

der Bahnhof, ⸚e _____

der Hafen, ⸚ _____

der See, -n _____

der Fluss, ⸚e _____

das Meer, -e _____

sehen, er sieht *(Da sieht man den Hafen.)* _____

da *(Da ist das Hotel.)* _____

Das ist … _____

interessant _____

schön _____

die Station, -en _____

der Ort, -e _____

Maße angeben

der Meter, - _____

der Kilometer, - _____

lang *(Die Brücke ist 12 Kilometer lang.)* _____

breit *(Das Rathaus ist 111 Meter breit.)* _____

hoch *(Der Turm ist 132 Meter hoch.)* _____

über *(Das Haus ist über 100 Jahre alt.)* _____

die Kosten (Pl.) _____

der Euro, -s _____

Verkehrsmittel

zu Fuß gehen _____

das Fahrrad, ⸚er _____

der Bus, -se _____

die Straßenbahn, -en _____

der Zug, ⸚e _____

die U-Bahn, -en _____

die S-Bahn, -en _____

das Schiff, -e _____

das Flugzeug, -e _____

die Fahrkarte, -n _____

schnell _____

nach *(Der Zug fährt nach Berlin.)* _____

einen Weg beschreiben

der Weg, -e _____

Wo ist bitte …? _____

Das ist ganz einfach. _____

rechts _____

links _____

geradeaus _____

Gehen Sie zuerst rechts und dann geradeaus. _____

richtig *(Ist das richtig?)* _____

genau *(Ja, genau!)* _____

die Mitte (Sg.) _____

Wo ist das? – Genau in der Mitte. _____

also *(Also, zuerst links und …)* _____

zeigen _____

der Plan, ⸚e _____

zeichnen _____

der Start (Sg.) _____

das Ziel, -e _____

schon *(Da ist schon das Hotel.)* _____

Events

das Event, -s _____

das Festival, -s _____

das Ticket, -s _____

das Publikum (Sg.) _____

der Besucher, - _____

die Besucherin, -nen _____

der Gast, ⸚e _____

das Konzert, -e _____

das Orchester, - _____

der Chor, ⸚e _____

die Konzertkarte, -n _____

der Film, -e _____

der Schauspieler, - _____

die Schauspielerin, -nen _____

der Star, -s _____

der Regisseur, -e _____

die Regisseurin, -nen _____

die Ausstellung, -en _____

finden _____

Findest du das Konzert
gut? _____

Jahreszeiten

die Jahreszeit, -en _____

der Frühling _____

der Sommer _____

der Herbst _____

der Winter _____

Monate

der Monat, -e _____

der Januar _____

der Februar _____

der März _____

der April _____

der Mai _____

der Juni _____

der Juli _____

der August _____

der September _____

der Oktober _____

der November _____

der Dezember _____

andere wichtige Wörter und Wendungen

die Gruppe, -n _____

das Bild, -er _____

das Plakat, -e _____

das Glück (Sg.) _____

so (So ein Glück!) _____

der Test, -s _____

heute (Heute ist kein Test!) _____

jetzt (Jetzt aber schnell!) _____

okay _____

die Welt, -en _____

die Lösung, -en _____

ein Mal, zwei Mal, … _____

das erste/zweite/… Mal _____

Vielen Dank! _____

Wichtig für mich:

_____
_____
_____

Welche Verkehrsmittel benutzen Sie? Notieren Sie.

Wie heißen die Wörter? Schreiben Sie die Wörter mit Artikel.

1. Park _____   4. Fluss _____   5. Haus _____

2. Markt _____   3. Brücke _____   6. Glück _____

Prüfungstraining

In den Plattformen im Übungsbuch bereiten wir Sie auf die *Start Deutsch A1*-Prüfung vor.
Die Prüfung besteht aus vier Teilen: Lesen, Hören, Schreiben und Sprechen. Lesen, Hören und Schreiben machen Sie allein, beim Sprechen arbeiten Sie in der Gruppe.

Die Prüfungsteile

Hören	Plattform
Teil 1: Sie hören sechs Gespräche.	1
Teil 2: Sie hören vier Durchsagen.	4
Teil 3: Sie hören fünf Nachrichten auf der Mailbox oder Ansagen.	3
Lesen	**Plattform**
Teil 1: Sie lesen Informationen in einer Mail oder einem Brief.	2
Teil 2: Sie lesen einfache Texte im Alltag.	3
Teil 3: Sie lesen kurze Informationstexte.	4
Schreiben	**Plattform**
Teil 1: Sie füllen ein Formular aus.	2
Teil 2: Sie schreiben einen kurzen Text.	4
Sprechen	**Plattform**
Teil 1: Sie stellen sich vor.	1
Teil 2: Sie bitten um Informationen und geben Informationen.	2
Teil 3: Sie formulieren Bitten und reagieren darauf.	3

Prüfungsteil Hören

1 **Die Aufgabe in der Prüfung verstehen. Lesen Sie und notieren Sie die Antworten.**

> Dieser Test hat drei Teile. Sie hören kurze Gespräche und Ansagen. Zu jedem Text gibt es eine Aufgabe. **Lesen** Sie zuerst die Aufgabe, **hören** Sie dann den Text dazu.
> Kreuzen Sie die richtige Lösung an.
> Schreiben Sie zum Schluss Ihre Lösungen auf den **Antwortbogen**.

1. Wie viele Teile hat der Prüfungsteil Hören? _____

2. Was hören Sie? _____

3. Text hören – Aufgabe lesen. Was machen Sie zuerst, was dann?
   1. _____
   2. _____

Hören: Teil 1 – Kurze Alltagsgespräche verstehen

2 **Was können Sie schon? Kreuzen Sie an.**

Ich kann …
☐ … einfache Informationen über Beruf, Arbeitszeit und Freizeit verstehen.
☐ … eine einfache Wegbeschreibung verstehen.
☐ … Ländernamen verstehen.
☐ … Wochentage verstehen.
☐ … Zahlen verstehen.

Sie hören in der Prüfung (Hören: Teil 1) sech‹
kurze Gespräche. Zu jedem Gespräch gibt e‹
Aufgabe mit drei Bildern. Lesen Sie die Aufg
genau. Lesen Sie sie zweimal und achten Si
jedes Wort.

3 Die Prüfungsaufgabe. Machen Sie jetzt den Prüfungsteil Hören, Teil 1.

Teil 1 Was ist richtig?
Kreuzen Sie an: ⓐ , ⓑ oder ⓒ .
Sie hören jeden Text **zweimal**.

Beispiel

🔊 1.36

0 Wohin fährt die Frau?

☒ Zum Rathaus. ⓑ Zum Bahnhof. ⓒ Zum Hotel.

🔊 1.37

1 Was ist die Frau von Beruf?

ⓐ Lehrerin. ⓑ Architektin. ⓒ Journalistin.

🔊 1.38

2 Was sucht der Mann?

ⓐ Den Bahnhof. ⓑ Die Schule. ⓒ Das Rathaus.

🔊 1.39

3 Wohin gehen die Freunde?

ⓐ Ins Kino. ⓑ Ins Museum. ⓒ Ins Café.

4 Wie ist die Hausnummer?

a Hausnummer 207. b Hausnummer 117. c Hausnummer 107.

5 Woher kommt die Frau?

a Aus Österreich. b Aus der Schweiz. c Aus Deutschland.

6 Wann gehen die Frauen ins Schwimmbad?

a Am Montag. b Am Dienstag. c Am Mittwoch.

Sprechen: Teil 1 – Sich vorstellen

4 **Was können Sie schon? Kreuzen Sie an.**

Ich kann …
- ☐ … wichtige Informationen über mich geben.
- ☐ … etwas buchstabieren.
- ☐ … Nummern oder Zahlen nennen.

In der Prüfung (Sprechen: Teil 1) stellen Sie sich vo
Dieser Teil ist in der Prüfung immer gleich.
Die Prüfer bitten Sie am Ende zum Beispiel:
„Buchstabieren Sie Ihren Namen." oder „Sagen Sie
Telefonnummer."
Üben Sie das Vorstellen mit anderen Personen, zur
Beispiel mit Ihrer Familie oder mit Freunden. Nenr
Sie auch Ihre Telefonnummer oder Handynummer
buchstabieren Sie Ihren Namen oder Ihre Adresse.

5 a **Ihre Vorstellung. Ordnen Sie die Wörter und Redemittel zu.**

Ich wohne (jetzt) in … | Ich arbeite als … | Mein Name ist … | Ich … gern. | Ich bin … (Jahre alt.) |
Ich komme aus … | Ich spreche … | Ich bin … von Beruf. | Ich heiße … | Meine Hobbys sind …

Name: _Mein Name ist …,_ _____

Alter: _____

Land: _____

Wohnort: _____

Beruf: _____

Sprachen: _____

Hobbys: _____

b **Ergänzen Sie Ihre Informationen und lesen Sie die Sätze mehrmals laut.**

6 a **Hören Sie jetzt ein Beispiel für eine Vorstellung in der Prüfung.**
1.43

b **Die Prüfungsaufgabe. Arbeiten Sie in Gruppen. Spielen Sie die Prüfungssituation.**

1. Jede/r stellt sich vor. Sprechen Sie frei.

2. Wählen Sie eine Frage und fragen Sie
   eine Person in der Gruppe:
   Wie buchstabiert man Ihren Nachnamen?
   Wie buchstabiert man Ihren Vornamen?
   Wie buchstabiert man Ihre Straße?
   Wie ist Ihre Telefonnummer?
   Wie ist Ihre Handynummer?
   Wie ist Ihre Hausnummer?
   Wie ist Ihre Postleitzahl?

3. Antworten Sie auf die Fragen von Ihren
   Partnern/Partnerinnen.

Teil 1 Sich vorstellen.

Name?

Alter?

Land?

Wohnort?

Sprachen?

Beruf?

Hobby?

Wie buchstabiert man Ihren Nachnamen?

Y – I – L – D – I – R – I – M

Guten Appetit!

1 a **Was kommt in den Kühlschrank, was nicht? Ordnen Sie zu.**

die Milch, _____   _____

_____   _____

_____   _____

b **Markieren Sie neun Wörter und notieren Sie sie mit Artikel und Plural.**

J	M	K	U	C	H	E	N	T	F
O	K	A	R	T	O	F	F	E	L
G	W	A	S	S	E	R	I	E	P
H	S	Ä	T	X	B	E	Y	C	B
U	A	F	L	R	Ö	L	K	H	R
R	F	H	R	N	U	D	E	L	O
T	T	H	G	M	N	G	B	Ü	T
M	M	A	R	M	E	L	A	D	E

der/das Joghurt, die Joghurts

_____

_____

_____

_____

_____

_____

_____

_____

2 **Wie heißen die Geschäfte? Notieren Sie die Wörter mit Artikel.**

1. IEREGZTEM   _____

2. TKRAM   _____

3. IEREKCÄB   _____

4. TKRAMREPUS   _____

Wörter lernen
Was gibt es an einem Ort? Sammeln
die Wörter und lernen Sie sie zusan
die Bäckerei: das Brot, die Brötchen

Kommt ihr?

3 a **Eine Einladung. Hören Sie. Welche Nachricht passt? Notieren Sie.**

1.44

Eine Einladung   A zum Frühstück   Nachricht: _____

B zum Mittagessen   Nachricht: _____

C zu Kaffee und Kuchen   Nachricht: _____

D zum Abendessen   Nachricht: _____

b Die Grillparty. Ergänzen Sie den Dialog. Ordnen Sie zu.

A Klar, dann mache ich einen Apfelkuchen. Und ich kaufe Würstchen. | B Ja, bis Samstag. | C Was brauchen Sie noch für die Party? Ich mache gern etwas. | D Vielen Dank für die Einladung. Ich komme sehr gern. | E Danke, gut. Und Ihnen?

○ Hallo, wie geht es Ihnen?   1. ● _____

○ Auch gut, vielen Dank. Wir machen am   2. ● _____
    Samstag eine Grillparty. Kommen Sie auch?

○ Das ist schön.   3. ● _____

○ Das ist nett, danke. Vielleicht einen Kuchen?   4. ● _____

○ Super, dann bis Samstag.   5. ● _____

c Wie schmeckt das? Ordnen Sie die Lebensmittel zu.

das Fleisch | die Birne 🍐 | die Kartoffel | der Käse | der Schinken | der Reis 🍚 | der/das Keks |
die Olive 🫒 | ~~die Marmelade~~ | die Banane | der Fisch 🐟 | die Sahne | das Brot |
der Kuchen | die Schokolade | die Pommes frites (Pl.) 🍟 | das Hähnchen 🍗 | der Zucker |
der Salat | das Würstchen | die Suppe

süß   *die Marmelade,* _____

        _____
        _____
        _____

nicht süß   _____

        _____
        _____
        _____

d Wer macht/kauft was? Sehen Sie die Liste an und ergänzen Sie die Nachricht mit den Nomen und dem bestimmten Artikel im Akkusativ.

Hallo Mia,   ☒

morgen ist die Party, ich freue mich schon. Leon macht (1) *den   Salat*

und Moritz kauft (2) _____ _____. Emma

macht wieder (3) _____ _____, so gut!

Ach ja, Laura bringt (4) _____ _____

und (5) _____ _____. Und ich kaufe

(6) _____ _____ und (7) _____

_____. Und du? Was kaufst oder machst du?

Bis morgen
Toni

Leon: Salat
Moritz: Fleisch
Emma: Apfelkuchen
Laura: Obst, Wasser
Toni: Kartoffeln, Würstchen
Mia:

e **Was passt? Markieren Sie.**

1. ○ Guten Tag, kann ich Ihnen helfen?
   ● Ja, ich mache einen/ein/eine/– Salat
   und brauche einen/ein/eine/– Gurke.

2. ○ Entschuldigung, haben Sie Tomaten?
   ● Tut mir leid, heute haben wir
   keinen/kein/keine Tomaten.

3. ○ Kannst du bitte noch einen/ein/eine/–
   Brot kaufen?
   ● Klar! Haben wir noch einen/ein/eine/– Eier?
   ○ Warte … Nein.

4. ○ Und, essen wir einen/ein/eine/– Eis?
   ● Oh ja, super Idee!

4 a **Nominativ oder Akkusativ? Achten Sie auf das Verb. Ergänzen Sie *ein* in der richtigen Form.**

1. ○ Haben wir noch ___—___ Tomaten im Kühlschank?
   ● Nein, wir haben nur noch _____ Gurke. Aber ich
   kaufe gleich _____ Cola und _____ Tomaten.

2. ○ Ist das _____ Apfel?
   ● Nein! Das ist _____ Birne.

3. Schnell, es ist gleich acht Uhr! Ich brauche noch _____
   Salat und _____ Brot.

4. Wo ist _____ Bäckerei? Ich brauche noch _____ Kuchen.

5. Ich koche _____ Suppe und wir essen _____ Brötchen dazu. Okay?

> **!**
> **Unbestimmter Artikel im Akkusativ**
> Neutrum/Feminin: Akkusativ = Nom
> *Das ist **eine** Birne. – Ich kaufe **eine** E*
> ! Maskulin: Akkusativ = Nominativ +
> *Das ist **ein** Apfel. – Ich kaufe **ein**en A*

→•← **b** *der, das, die; ein, eine* oder *kein, keine*: **Wählen Sie.**

A Ergänzen Sie die Wörter unten mit dem richtigen Artikel.

B Ergänzen Sie die Nachrichten. Achten Sie auf die Artikel.

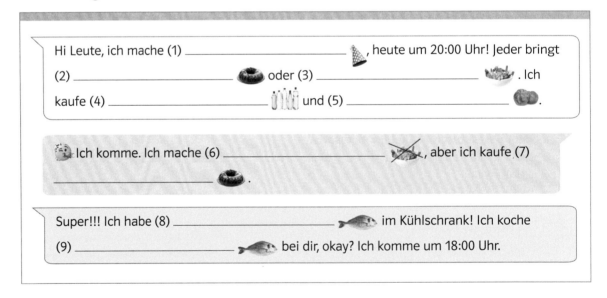

der Salat | das Brötchen | die Party | der Fisch | die Getränke | der Kuchen

🖊 **c** **Was kochen/essen Sie gern? Was brauchen Sie? Schreiben Sie einen kurzen Text.**

Ich esse gern Schnitzel mit Pommes frites und Salat. Ich brauche …

d **Spielen Sie im Kurs. Wer ist zuerst fertig?**

1. Notieren Sie zehn Nomen mit Artikel aus Kapitel 4.
   Beispiel: *der Kuchen*
2. Fragen Sie einen Partner / eine Partnerin. Beispiel: „Hast du einen Kuchen?"
3. Er/Sie antwortet. „Ja." → *der Kuchen* ✓
   „Nein, ich habe keinen Kuchen." → Der Partner / Die Partnerin fragt Sie.
4. Suchen Sie einen neuen Partner / eine neue Partnerin.
5. Sieger/in: alle zehn Nomen ✓

◀)◯ **5 a** **Umlaute *ä – ö – ü*. Was hören Sie?**
1.45 **Verbinden Sie die Wörter.**

◀)◯ **b** **Hören Sie die Wörter mit *ä – ö – ü* aus 5a noch einmal und sprechen Sie nach.**
1.46

Einkaufen im Supermarkt

6 a **Vergleichen Sie die Bilder. Was kaufen die Personen (nicht)?**

Kilian kauft …

ein Brot, einen Salat, _____

_____

_____

Tamara kauft …

zwei Brote, keinen Salat, _____

_____

_____

◀)) **b** **Hören Sie und notieren Sie die Preise.**
1.47

1. 100 g Käse _____ 2. 1 kg Bananen _____ 3. Kaffee _____

   100 g Schinken _____ 5 Äpfel _____ Kuchen _____

c Arbeiten Sie zu zweit. Was kostet das? Fragen und antworten Sie.

A Emmas Supermarkt	
Milch	€
Tomaten	2,63 €
Würstchen	€
Salat	1,49 €
Zucker	€
Brot	€
Nudeln	1,66 €
Salz	0,35 €
Summe	**13,04 €**

B Emmas Supermarkt	
Summe	**13,04 €**
Salz	€
Nudeln	€
Brot	1,18 €
Zucker	0,75 €
Salat	€
Würstchen	3,17 €
Tomaten	€
Milch	1,28 €

Was kostet die Milch?

Die Milch kostet ein Euro achtundzwanzig. Was kosten die Tomaten?

Die Tomaten ...

d Welche Verpackungen und Maße finden Sie? Notieren Sie in der Tabelle.

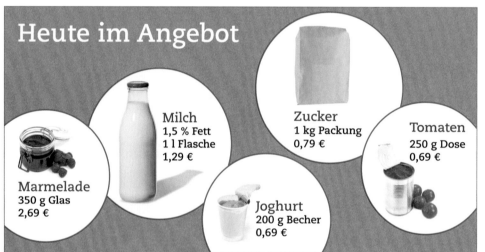

Heute im Angebot

Marmelade 350 g Glas 2,69 €

Milch 1,5 % Fett 1 l Flasche 1,29 €

Zucker 1 kg Packung 0,79 €

Tomaten 250 g Dose 0,69 €

Joghurt 200 g Becher 0,69 €

> **!**
> l = der Liter
> g = das Gramm
> kg = das Kilo(gram~~
> kein Plural: *Ich ka~~
> 200 Gramm Schir~~
> und zwei Kilo Tom~~

	Marmelade	Milch	Joghurt	Zucker	Tomaten
Verpackung	das *Glas*	die	der	die	die
g/kg/l	*Gramm*				

e Was sagt der Kunde / die Kundin? Ergänzen Sie die Dialoge. Spielen Sie dann zu zweit.

Ja, bitte. | wo finde ich | Ich, bitte. | Ja, danke. | was kostet | Ich möchte

A ○ Entschuldigung, _____

  ein Becher Joghurt?

  ● 1,19 Euro.

B ○ Entschuldigung, _____

  _____ Milch?

  ● Dort links.

C ○ Brauchen Sie den Kassenzettel?

  ● _____

D ○ Wer kommt dran?

  ● _____

  ○ Was möchten Sie?

  ● _____ 100 Gramm

  Schinken, bitte.

  ○ Ist das alles?

  ● _____

Die Grillparty

7 Was passt zusammen? Ordnen Sie zu.

1. Guten _____

A noch etwas?

2. Danke, das schmeckt _____

B bin satt.

3. Die Würstchen _____

C sehr gut.

4. Ich esse _____

D keine Tomaten.

5. Möchtest du _____

E sind wirklich lecker.

6. Nein, danke, ich _____

F Appetit!

8 a Möchten Sie noch …? Ergänzen Sie die Formen von _möchten_.

○ Guten Tag, was (1) _____ Sie?

● Ich (2) _____ bitte ein Hähnchen mit Kartoffelsalat und er (3) _____

eine Pizza.

○ Sehr gerne. Und was (4) _____ Sie trinken?

△ Ich nehme bitte ein Wasser und sie (5) _____ einen Apfelsaft.

○ Bitte, das Essen. Guten Appetit! (6) _____ Sie noch ein Getränk?

● Nein, danke. Aber (7) _____ du noch Salz und Pfeffer?

△ Ja, bitte.

○ Gerne. Und (8) _____ Sie vielleicht auch noch

etwas Brot?

△ Nein, wir (9) _____ kein Brot, danke.

● Wir (10) _____ gerne bezahlen.

○ Ja, gern. Einen Moment, bitte.

b Spielen Sie zu viert Situationen beim Essen.

Frühstück, Mittagessen, Abendessen

9 a Wer mag was? Ergänzen Sie die Formen von _mögen_.

1. Timo _____ gern Eis, aber keine Schokolade.

2. Sandra und Sarah _____ Pizza.

3. ○ Isst Lando auch Salat? ● Nein, er _____ keinen Salat.

4. ○ Guten Appetit, es gibt Fischsuppe. ● Oh, Fischsuppe … Ähm, es tut mir leid, meine Frau und ich,

wir _____ keinen Fisch.

5. ○ Welches Eis _____ ihr? ● Schoko und Banane!

6. ○ Elea, _____ du Brot? ● Ja, ich esse morgens und abends Brot.

7. ○ Und deine Kinder? _____ sie Kuchen? ● Natürlich!

b Jonah Okeke isst gern ... Schreiben Sie die Sätze. Beginnen Sie mit den markierten Wörtern.

1. <u>zum Frühstück</u> / ich / essen / ein Brot mit Marmelade
2. trinken / zum Frühstück / einen Milchkaffee / <u>ich</u>
3. Tee / trinken / ich / <u>vormittags</u>
4. <u>mittags</u> / ich / Nudeln mit Gemüse / essen
5. <u>Brot und Käse</u> / abends / essen / ich

Jonah Okeke

1. *Zum Frühstück*   *esse*   *ich* _____
2. *Ich* _____ _____ _____
3. _____ _____ _____
4. _____ _____ _____
5. _____ _____ _____

c Wer mag was? Würfeln Sie zwei Mal: zuerst für die Person, dann für das Lebensmittel. Bilden Sie Sätze mit den Verben.

ich	du	er/sie	wir	ihr	sie

! Eine Liste mi[t] unregelmäßig[en] Verben finde[n] im Anhang.

1. (mögen) _____
2. (essen) _____
3. (möchten) _____
4. (mögen) _____
5. (nehmen) _____
6. (möchten) _____

d Was mögen Sie zum ...? Was mögen Sie nicht? Sammeln Sie.

	Das mag ich.	Das mag ich nicht.
zum Frühstück		
zum Mittagessen		
zum Abendessen		

Wörter lernen

10 a **Machen Sie eine Mindmap.**

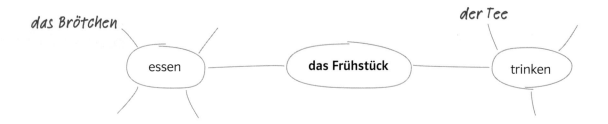

b **Ordnen Sie die Wörter zu und notieren Sie den Artikel.**

~~Brot~~ | Butter | Joghurt | Apfel | Sahne | Brötchen | Birne | Käse | Kartoffel | Banane | Keks |
Salat | Gurke | Milch | Kuchen

Obst	Gemüse	Milchprodukte	Backwaren
			das Brot,

c **Welches Wort passt nicht? Streichen Sie durch.**

1. Orange – ~~Gurke~~ – Apfel – Banane
2. Milch – Wasser – Apfelsaft – Müsli
3. Kuchen – Joghurt – Käse – Milch
4. Gurke – Salat – Kartoffel – Birne

5. Brot – Brötchen – Kuchen – Butter
6. Fleisch – Käse – Wurst – Schinken
7. Suppe – Tee – Keks – Wasser
8. Nudeln – Kuchen – Schokolade – Keks

d **Notieren Sie Lebensmittel im Singular und im Plural auf je zwei Kärtchen. Legen Sie alle Kärtchen auf den Tisch (Schrift nach unten). Spielen Sie dann zu viert. Wer findet die meisten Paare?**

die Tomate – die Tomaten

Berufe rund ums Essen

11 a **Lesen Sie. Welche Frage passt zu welchem Abschnitt? Ordnen Sie zu.**

1. Was produziert die Familie Küppers?
2. Wann arbeitet Anna Küppers auf dem Wochenmarkt?
3. Was macht Anna Küppers beruflich?
4. Welches Problem gibt es?
5. Wer ist mit Anna Küppers auf dem Wochenmarkt?
6. Was mag Anna Küppers?

 Sie müssen nicht alle Wörter verstehen. Lesen Sie einfach weiter.

Die Landwirtin vom Wochenmarkt

A ___
Morgens 6:30 Uhr auf einem Markt in Aachen – Anna Küppers ist noch müde, aber sie baut ihren Stand auf. Sie lebt im Rheinland und ist Landwirtin. Sie verkauft Obst und Gemüse auf dem Markt.

B ___
Dreimal in der Woche arbeitet sie auf dem Markt, immer Montag, Mittwoch und Freitag. Sie beginnt mit der Arbeit um 6 Uhr morgens und um 14:30 Uhr fährt sie wieder nach Hause. Sie verkauft ihre Produkte das ganze Jahr.

C ___
Frau Küppers mag ihr Leben. „Ich möchte nicht im Büro arbeiten", sagt sie. „Ich mag das Leben auf dem Markt. Ich kenne die anderen Verkäufer und viele Kunden kommen seit Jahren. Meine Arbeit macht mir viel Spaß."

D ___
Ihr Sohn Theo arbeitet auch auf dem Markt. „Im Sommer ist es sehr schön, im Winter arbeite ich nicht so gerne dort", sagt er.

E _1_
Die Familie Küppers hat einen kleinen Bauernhof bei Aachen und produziert Obst und Gemüse: Äpfel, Birnen, Tomaten, Kartoffeln, Gurken und Salat. „Unser Obst und Gemüse ist sehr gut. Die Kunden kaufen sehr gern bei uns."

F ___
Die Situation ist aber schwierig. Viele Leute kaufen Obst und Gemüse im Supermarkt und nicht auf dem Markt. „Unsere Qualität ist doch so gut. Alles ist ganz frisch. Warum gehen die Leute in den Supermarkt?"

→•← **b** **Wählen Sie.**

A Markieren Sie die Antworten zu den Fragen in 11a im Text.

B Notieren Sie die Antworten zu den Fragen in 11a in Stichpunkten.

1. Obst und Gemüse

R1 Beim Einkaufen. Sprechen Sie mit einem Partner / einer Partnerin.

> **A Sie sind Verkäufer/in beim Bäcker.**
> Bitte? Was möchten Sie?
> Sonst noch etwas?
> Das kostet … Euro. Ist das alles?
> Brauchen Sie den Kassenzettel?

> … noch nehme ich ,nieN / .eknad ,aJ
> ? … tetsok leiv eiW
> … hcon ehcuarb hci ,aJ
> ? … eiS nebaH / .ettib , … ethcöm hcI
> **nehcuknedalokohcS 1 ,nehctörB 4 ,torB 1**
> **:nehcuarb eiS .rekcäB muz neheg eiS B**

🔊 💬 Ich kann einfache Gespräche beim Einkauf verstehen und führen. ☺☺ ☺ ☹ ☹ KB 2, 6 ÜB 6c, 6e

R2 Beim Essen. Ordnen Sie zu.

1. Guten Appetit! ___   A Ja, es schmeckt sehr gut.
2. Schmeckt es dir? ___   B Nein, danke, ich bin satt.
3. Der Salat ist wirklich lecker. ___   C Danke, gleichfalls!
4. Möchtest du noch etwas? ___   D Vielen Dank!

💬 Ich kann Gespräche beim Essen führen, mich bedanken und Komplimente machen. ☺☺ ☺ ☹ ☹ KB 7 ÜB 7, 8

R3 Was mögen Sie wann? Beschreiben Sie Ihre Essgewohnheiten.

Zum Frühstück esse ich …   Abends esse ich …
Mittags mag ich …   Ich esse nicht gern …

💬 Ich kann über Vorlieben und Gewohnheiten beim Essen sprechen. ☺☺ ☺ ☹ ☹ KB 8b ÜB 9

Außerdem kann ich … ☺☺ ☺ ☹ ☹ KB ÜB
💬 … Lebensmittel und Geschäfte nennen. 1, 2 1, 2, 3c
🔊📖 … eine Einladung verstehen. 3a 3a, 4b
💬 … auf eine Einladung reagieren.   3b
✏️ … einen Einkaufszettel schreiben. 3b
💬 … einen Einkauf planen. 4 4a
💬🔊 … Preise erfragen und verstehen. 6 6b–c
📖 … kurze Texte über Essgewohnheiten verstehen. 9a–b 9b
✏️ … einen kurzen Text über Vorlieben und Gewohnheiten beim Essen schreiben. 9c 4c, 9d
✏️ … mit Strategien Wörter ordnen und lernen. 10 10
📖 … mit W-Fragen Texte verstehen. 11 11

Lebensmittel

Obst

das Obst (Sg.) _____

der Apfel, -̈ _____

die Banane, -n _____

die Birne, -n _____

Gemüse

das Gemüse (Sg.) _____

die Gurke, -n _____

die Kartoffel, -n _____

der Salat, -e _____

die Tomate, -n _____

die Olive, -n _____

die Zwiebel, -n _____

Backwaren

das Brot, -e _____

das Brötchen, - _____

der Keks, -e _____

der Kuchen, - _____

Fleischprodukte

das Fleisch (Sg.) _____

das Hähnchen, - _____

der Schinken, - _____

die Wurst, -̈e _____

das Würstchen, - _____

Milchprodukte

die Butter (Sg.) _____

der/das Joghurt, -s _____

der Käse (Sg.) _____

die Milch (Sg.) _____

die Sahne (Sg.) _____

andere Lebensmittel

der Pfeffer (Sg.) _____

das Salz, -e _____

der Zucker (Sg.) _____

der Essig, -e _____

das Öl, -e _____

die Nudel, -n _____

der Reis (Sg.) _____

das Ei, -er _____

der Fisch, -e _____

die Schokolade, -n _____

die Marmelade, -n _____

das Müsli, -s _____

Getränke

das Getränk, -e _____

das Wasser, - _____

der Saft, -̈e _____

die Limonade, -n _____

die Cola, -s _____

der Kaffee, -s _____

der Tee, -s _____

Geschäfte

die Bäckerei, -en _____

der Markt, -̈e _____

die Metzgerei, -en _____

der Supermarkt, -̈e _____

Packungen und Maße

die Packung, -en _____

der Becher, - _____

die Dose, -n _____

das Stück, -e _____

die Tüte, -n _____

das Gramm (g) _____

das Kilo(gramm) (kg) _____

der Liter (l) _____

beim Einkaufen

kaufen _____

ein|kaufen _____

der Einkaufswagen, - _____

brauchen _____

möchten, er möchte _____

finden _____

Entschuldigung, wo finde
ich …? _____

Wo gibt es …? _____

kosten _____

der Preis, -e _____

Das macht … Euro, bitte. _____

der Kassenzettel, - _____

teuer _____

wechseln _____

Können Sie wechseln,
bitte? _____

beim Essen

Guten Appetit! _____

Danke, gleichfalls. _____

das Essen, - _____

essen, er isst _____

trinken _____

fertig (*Das Essen ist gleich
fertig.*) _____

mögen, er mag _____

nehmen, er nimmt _____

schmecken (*Schmeckt's?*) _____

lecker _____

süß _____

frisch _____

Mahlzeiten

das Frühstück, -e _____

frühstücken _____

das Mittagessen, - _____

das Abendessen, - _____

Gerichte

das Gericht, -e _____

die Suppe, -n _____

die Pizza, -s/Pizzen _____

die Pommes frites (Pl.) _____

Tageszeiten

der Morgen, - _____

morgens _____

der Mittag, -e _____

mittags _____

der Nachmittag, -e _____

nachmittags _____

der Abend, -e _____

abends _____

die Nacht, ̈e _____

nachts _____

andere wichtige Wörter und Wendungen

die Einladung, -en _____

nett _____

gesund _____

waschen, er wäscht _____

schneiden _____

grillen _____

probieren _____

die Kantine, -n _____

wenig _____

vielleicht _____

wichtig _____

Wichtig für mich:

_____

_____

_____

Schreiben Sie einen Einkaufszettel für ein Grillfest mit Freunden.

Salat, …

Welche Lebensmittel, Gerichte und Getränke mögen Sie? Markieren Sie in der Liste.

Alltag und Familie

1 a **Der Tag von Lea. Notieren Sie Verben zu den Bildern.**

am Morgen _____

am Morgen _____

am Vormittag _____

am Mittag _____

am Nachmittag _____

am Abend _____

b **Schreiben Sie einen kurzen Bericht über Leas Tag.**

Am Morgen duscht Lea und …

2 a **Was passt zusammen? Notieren Sie.**

1. Zeitung _____
2. Fußball _____
3. Freunde _____
4. Pizza _____
5. ins Kino _____
6. in die Uni _____

| essen | gehen | treffen |
| fahren | lesen | spielen |

b **Wählen Sie.**

A Ergänzen Sie den Text mit den Verben unten. **B Ergänzen Sie die Verben.**

Am Sonntag (1) _____ Kaan mit der Familie zu Mittag. Dann (2) _____

er im Park Fußball. Am Nachmittag (3) _____ er Freunde im Café und am Abend

(4) _____ er mit Marie ins Kino.

Marie (5) _____ am Sonntag lange, dann (6) _____ sie für die Uni.

Am Nachmittag (7) _____ sie Oma.

lernen | besuchen | spielen | gehen | schlafen | essen | treffen

c **Wann machen Sie das? Ordnen Sie die Verben in eine Tabelle.**

schlafen | arbeiten | joggen | schwimmen | ins Café gehen | Freunde treffen |
die Familie besuchen | kochen | lernen | lesen | ins Kino gehen | Brot kaufen

morgens	vormittags	mittags	nachmittags	abends	nachts

d **Vergleichen Sie mit einem Partner / einer Partnerin. Berichten Sie über drei Aktivitäten.**

… joggt morgens, ich jogge abends.

3 **Spielen Sie zu zweit. Fragen und antworten Sie.**

A	
Nina:	wann – arbeiten?
Herr Urban:	am Morgen
Pablo:	wann – Zeitung lesen?
Frau Aslan:	am Nachmittag
Valentin:	wann – Florian treffen?

B	
Nina:	am Vormittag
Herr Urban:	wann – zum Supermarkt gehen?
Pablo:	am Abend
Frau Aslan:	wann – zum Arzt gehen?
Valentin:	am Abend

Wann arbeitet Nina?

Am Vormittag.

Wie spät ist es?

4 a **Tageszeiten und Uhrzeiten. Was passt zusammen? Ordnen Sie zu.**

18:00–22:00 | 22:00–6:00 | 9:00–12:00 | 12:00–14:00 | 14:00–18:00 | 6:00–9:00

1. morgens: _6:00–9:00_   3. mittags: _____   5. abends: _____

2. vormittags: _____   4. nachmittags: _____   6. nachts: _____

b **Was passt zusammen? Ordnen Sie zu.**

1. Es ist elf Uhr. _____   4. Es ist Viertel vor zwölf. _____

2. Es ist Viertel nach elf. _____   5. Es ist zwanzig nach zwölf. _____

3. Es ist halb zwölf. _____   6. Es ist zehn vor eins. _____

| A 11:15 Uhr | B 11:45 Uhr | C 12:20 Uhr |
| D 12:50 Uhr | E 11:00 Uhr | F 11:30 Uhr |

5 a 🔊 1.48 **Welche Uhrzeit hören Sie? Kreuzen Sie an.**

1. [a] 14:00 Uhr [b] 04:10 Uhr

2. [a] 06:50 Uhr [b] 10:07 Uhr

3. [a] 04:15 Uhr [b] 15:45 Uhr

4. [a] 11:30 Uhr [b] 12:30 Uhr

5. [a] 09:14 Uhr [b] 14:09 Uhr

b **Von morgens bis abends. Schreiben Sie die Uhrzeiten.**

inoffiziell	zehn nach sechs		
offiziell	sechs Uhr zehn		

inoffiziell			
offiziell			

6 🔊 1.49 **Was macht Eva wann? Hören Sie und notieren Sie die Uhrzeiten.**

um 9 Uhr Fitness-Studio

_____ Kino

_____ Marie besuchen

_____ Pizza essen

_____ Tenniskurs

Familie und Termine

7 a **Welche Präposition ist richtig? Kreuzen Sie an.**

1. ○ Was machst du heute? Hast du ☐ am ☐ um Nachmittag Zeit?
   ● Nein, aber ☐ am ☐ um 18 Uhr habe ich Zeit.

2. ○ Gehen wir ☐ am ☐ um Samstag ☐ am ☐ um 20 Uhr ins Kino?
   ● Tut mir leid. Ich fahre ☐ am ☐ um Wochenende nach Hamburg.

3. ○ Wann ist der Mathe-Test?
   ● ☐ Am ☐ Um Freitag!

4. ○ Wann triffst du Annalisa?
   ● Heute Abend ☐ am ☐ um halb acht.

5. ○ Gehen wir ☐ am ☐ um Nachmittag ins Café Flora?
   ● Nein, ich habe ☐ am ☐ um Viertel nach vier Training.

b **Ergänzen Sie die Präpositionen *am, um* und *von … bis*.**

1. Mara Dobart arbeitet _____ 9 _____ 17 Uhr.

2. _____ Montag hat sie frei.

3. Hannes Dobart ist _____ Sonntag _____ Dienstag in Hamburg.

4. _____ Freitag hat er _____ 17:20 Uhr einen Friseur-Termin.

5. Lena geht _____ Samstag _____ 14 Uhr zu Saras Geburtstagsfest.

6. Florian hat _____ Dienstag _____ 16:30 Uhr _____ 17:30 Uhr Trompetenunterricht.

c **Lesen Sie den Wochenkalender von Lea. Beantworten Sie die Fragen.**

Wochenkalender	
Montag	08:00–13:00 Uni
Dienstag Mama	10:30–14:00 Uni 16:00–21:00 arbeiten
Mittwoch	8:00–10:00 schwimmen 16:30–17:15 Saxofon
Donnerstag	08:00–16:00 Uni 20:00 Kino
Freitag	8:00–13:00 Uni 16 Uhr Oma
Samstag	15:00 Familienfeier 😊
Sonntag	Lernen!!! 18 Uhr Paula

1. Wann geht Lea ins Kino?
   Am Donnerstag um 20 Uhr.

2. Wann ist die Familienfeier?
   _____

3. Wann besucht sie Oma?
   _____

4. Wann geht sie ins Schwimmbad?
   _____

5. Wann arbeitet sie?
   _____

6. Wann trifft sie Paula?
   _____

d **Welche Termine haben Sie diese Woche? Schreiben Sie fünf Sätze.**

Am Montag treffe ich um …

8 a Familie. Ergänzen Sie die Wörter.

Schwester | Mutter | Opa | Vater | Großmutter | Sohn

die Verwandten

die Großeltern

der Großvater / der _____   die _____ / die Oma

die Eltern

der _____   die _____

die Kinder   **die Geschwister**

der _____   die Tochter | der Bruder   die _____

b Was passt? Ordnen Sie zu.

A   B   C   D   E

_____ 1. das Mädchen   _____ 2. das Baby   _____ 3. der Mann   _____ 4. die Frau   _____ 5. der Junge

c Markieren Sie den Possessivartikel *mein* und ergänzen Sie die Tabelle.

Hier ist meine *Familie. Da besuchen wir gerade meinen Opa. Das sind meine Eltern und hier links seht ihr meinen Bruder. Er heißt Ben. Und das ist meine Schwester Mia. Und hier seht ihr mein Auto. Schön, oder?*

! Possessivartikel haben die gleichen Endungen wie *ein/e* und *kein/e*.

Possessivartikel		
	Nominativ	**Akkusativ**
der Bruder	mein Bruder	_____ Bruder
das Auto	mein Auto	_____ Auto
die Schwester	_____ Schwester	meine Schwester
die Eltern	_____ Eltern	meine Eltern

d Was ist richtig? Kreuzen Sie an.

1. Ich besuche ☐ mein ☐ meine ☐ meinen Großeltern am Wochenende.
2. ☐ Mein ☐ Meine ☐ Meinen Schwester wohnt jetzt in Berlin.
3. Siehst du ☐ mein ☐ meine ☐ meinen Bruder?
4. Ich treffe ☐ mein ☐ meine ☐ meinen Mann in Hamburg.
5. Am Sonntag sehe ich ☐ mein ☐ meine ☐ meinen Familie.
6. ☐ Meine ☐ Mein ☐ Meinen Kinder gehen in die Schule.
7. Ich mag ☐ mein ☐ meine ☐ meinen Geschwister sehr.
8. ☐ Mein ☐ Meine ☐ Meinen Tochter ist 14 Jahre alt.

e Ergänzen Sie *mein* in der richtigen Form.

Katie   Ich bin Ingenieurin und habe einen Sohn. Wir wohnen

in Berlin. (1) _____ Sohn heißt Leon und ist fünf Jahre alt.

(2) _____ Mann ist von Montag bis Freitag in Hamburg.

Er arbeitet dort. Am Wochenende fahre ich oft nach Rostock.

Dort leben (3) _____ Eltern. Manchmal besuche ich

(4) _____ Schwester in Stuttgart.

Ben   Ich bin Lehrer von Beruf und wohne in München. Ich mag

(5) _____ Stadt. (6) _____ Frau ist auch Lehrerin.

Wir haben drei Kinder. (7) _____ Kinder gehen noch

nicht in die Schule. Ich habe auch einen Bruder. Er heißt Tom und

wohnt in Kanada. Ich sehe (8) _____ Bruder nicht so oft.

9 a Ordnen Sie die Wörter in die Tabelle.

~~treffen~~ | Geschwister | arbeiten | fahren | Mutter | Kalender | fragen | frühstücken | Kinder

Sie schreiben *r* und hören *r*.	Sie schreiben *r* und hören *a*.
treffen	

🔊💬 **b Hören Sie zur Kontrolle und sprechen Sie nach.**
1.50

www.dobart.de

🗨 **10 a Vergleichen Sie die Sprachen. Die Possessivartikel sind markiert. Ergänzen Sie auch Ihre Sprache. Was ist gleich, was ist anders?**

Deutsch: Rosi hat zwei Kinder. <u>Ihr</u> Sohn heißt Noah und <u>ihre</u> Tochter Julia.
Jens hat zwei Kinder. <u>Sein</u> Sohn heißt Noah und <u>seine</u> Tochter Julia.

Englisch: Rosi has got two children. <u>Her</u> son is called Noah and <u>her</u> daughter Julia.
Jens has got two children. <u>His</u> son is called Noah and <u>his</u> daughter Julia.

Französisch: Rosi a deux enfants. <u>Son</u> fils s'appelle Noah et <u>sa</u> fille Julia.
Jens a deux enfants. <u>Son</u> fils s'appelle Noah et <u>sa</u> fille Julia.

Ihre Sprache: _____

_____

b **Kreuzen Sie die richtige Form an.**

1. Das sind Mara und Hannes. ☐ Ihre ☐ Seine Kinder gehen zur Schule.
2. Die Tochter Lena spielt Geige. ☐ Ihre ☐ Seine Geige ist neu.
3. ☐ Ihr ☐ Sein Bruder Florian hat einen Computer.
4. Lena sagt: „Du und ☐ deine ☐ seine Computerspiele. Du machst nichts anderes."
5. Mara sagt: „Wir haben eine Homepage. ☐ Euer ☐ Unser Hund Otto ist auch dabei!"
6. ☐ Ihre ☐ Deine Freundin Annalisa sagt: „☐ Seine ☐ Eure Homepage ist toll."

c **Ergänzen Sie die Possessivartikel.**

Ist das _____ Hund?

Nein, das ist _____ Hund.

Ist das _____ Buch?

Ja, das ist _____ Buch. Vielen Dank!

Ist das _____ Auto?

Nein, das ist _____ Auto.

Ist das _____ Glas?

Ja, das ist _____ Glas – und das sind _____ Gläser.

d **Nominativ oder Akkusativ? Ergänzen Sie die Endung, wo nötig.**

1. Ach, du bist Florian? Hallo, ich kenne dein_____ Schwester. Wir spielen zusammen Geige.
2. Wo ist mein_____ Hund? Sehen Sie mein_____ Hund?
3. Heute Abend haben wir keine Zeit. Wir besuchen unser_____ Großeltern.
4. Tobi liebt sein_____ Kaffee am Morgen.
5. ○ Ist das dein_____ Handy? ● Nein, das ist von Mara. Mara! Wir haben hier dein_____ Handy.

e **Ergänzen Sie die Possessivartikel in der richtigen Form.**

1. Ella, Paul, Jakob, kommt! Wir fahren los. Ella, wo ist _dein_ Handy? Paul, hast du _____ Schlüssel? Jakob, nimm bitte _____ Fahrrad! Kommt jetzt, bitte!
2. ○ Hallo, Herr Schröter, haben Sie _____ Präsentation schon fertig?
   ● Ja, _____ Präsentation ist fast fertig. Ich brauche noch 10 Minuten.
3. Ach, wo ist er denn? Ich finde _____ Stift nicht.
4. ○ Ist das _____ Hamster? Wie heißt er?
   ● Zorro, und schau, das ist Godzilla. Das ist _____ Bruder.

Die Verabredung

11 a Modalverben und ihre Bedeutung. Ergänzen Sie *muss*, *kannst*, *will* und *wollen*.

○ Ich _____

heute ins Kino gehen.

Kommst du mit?

● Ja, super. Wann?

○ Um acht.

1

○ Mama, ich habe

Hunger.

● Ich _____

einkaufen. Dann koche

ich etwas.

3

Das machst du super! Du

_____ schon

gut schwimmen.

2

○ _____ wir

am Dienstag in die

Stadt fahren?

● Ja, gern, da habe ich

Zeit.

4

b Lesen Sie die Nachrichten von Hannes und Mara. Markieren Sie die Modalverben und ergänzen Sie die Tabelle.

	müssen	können	wollen
ich	_muss_	_____	will
du	musst	_____	willst
er/es/sie	muss	_____	will
wir	müssen	_____	_____
ihr	_____	könnt	wollt
sie/Sie	_____	können	_____

> Liebe Grüße aus Hamburg! 😵 Ich muss gleich ins Büro fahren – ich kann nur kurz schreiben.

> Guten Morgen! Müsst ihr heute viel arbeiten? 😮

> Ja, aber am Abend wollen wir noch eine Stadttour machen – ohne den Chef! 😁 Wie geht es euch?

> Alles wie immer! Die Kinder wollen nicht in die Schule gehen, sie müssen lernen und Florian kann nicht genug Computer spielen. 🙄 Kannst du um zehn telefonieren? Dann können wir sprechen.

c Ergänzen Sie die Modalverben in der richtigen Form.

○ Hallo Sara, ich (1) _____ (müssen) noch so viel machen: Mathe und Englisch. Ich

(2) _____ (wollen) nicht lernen!

● Aber Lena, wir (3) _____ (können) die Hausaufgaben doch zusammen machen.

○ Super, aber ich (4) _____ (müssen) meine Mutter fragen. Wir (5) _____ (wollen)

später in die Stadt fahren. (6) _____ (wollen) du auch in die Stadt kommen?

● Ich (7) _____ (können) leider nicht kommen. Mein Bruder (8) _____ (wollen)

noch mit mir Tennis spielen.

d Schreiben Sie die Sätze. Beginnen Sie mit den markierten Wörtern.

1. wollen / machen / Johanna / heute Sport
2. müssen / fahren / sie / morgen / nach Berlin
3. müssen / bleiben / ihre Familie / in München
4. können / treffen / Johanna / abends / Freunde
5. wollen / gehen / ihre Kinder / ins Kino

1. Johanna	will	heute Sport	machen.
2. ___	___	___	___
3. ___	___	___	___
4. ___	___	___	___
5. ___	___	___	___
	Modalverb		Infinitiv

e Ergänzen Sie *wollen, müssen* und *können* in der richtigen Form.

○ (1) _____ wir heute zusammen kochen? Kaan kommt auch.

● Nein, ich (2) _____ leider nicht kommen. Ich (3) _____ noch arbeiten.

○ Hast du morgen Zeit? Dann (4) _____ wir ins Kino gehen.

● Nein, morgen Abend mache ich Sport. (5) _____ du auch kommen?

○ Gute Idee. Und danach (6) _____ wir ins Kino gehen.

f Was müssen/können/wollen Sie machen? Schreiben Sie einen kurzen Text über sich.

Was müssen Sie am Montag machen? | Wann können Sie Musik hören? | Was wollen Sie am Abend machen? | Wo können Sie Freunde treffen? | Wann wollen Sie schlafen? | Was können Sie am Wochenende machen? | Was können Sie immer machen? | Was müssen Sie immer machen?

Am Montag muss ich immer in die Arbeit gehen. Am Wochenende kann ich ...

12 a Sich verabreden. Ergänzen Sie den Dialog.

Schade | ins Café | Idee | Zeit | leid | geht | morgen | zum Arzt

○ Was machst du (1) _____? Hast du (2) _____?

● Tut mir (3) _____. Morgen muss ich (4) _____ gehen.

○ (5) _____! Und am Mittwoch?

● Das (6) _____.

○ Wir können (7) _____ gehen.

● Gute (8) _____!

b Arbeiten Sie zu zweit. Schreiben und spielen Sie Dialoge wie in 12a.

Kann ich einen Termin haben?

13 a   **Frau Wolf möchte einen Termin beim Arzt. Wer sagt was? Notieren Sie W für Frau Wolf und A für die Arztpraxis.**

A   _W_ _____   Ja, am Mittwoch habe ich vormittags frei.

B   _____ _1_   Praxis Dr. Steinig, Svetlana Keller, guten Tag.

C   _____ _____   Ja, das geht! Also, am Mittwoch um 10 Uhr. Auf Wiederhören.

D   _____ _____   Was kann ich für Sie tun?

E   _____ _____   Ja, gern. Wann haben Sie Zeit?

F   _____ _____   Haben Sie heute noch etwas frei?

G   _____ _____   Ich hätte gern einen Termin.

H   _____ _____   Dann kommen Sie doch am Mittwoch um 10 Uhr. Geht das?

I   _____ _____   Nein, heute geht es leider nicht. Können Sie auch am Mittwoch kommen?

J   _____ _____   Guten Tag, Frau Keller, hier ist Rita Wolf.

b   **Ordnen Sie den Dialog in die richtige Reihenfolge. Nummerieren Sie in 13a von 1–10. Hören Sie zur Kontrolle. Spielen Sie den Dialog dann zu zweit.**

1.51

14   **Sie möchten einen Termin beim Arzt und rufen dort an. Der Terminkalender hilft. Wählen Sie.**

1.52

→•←

A Lesen Sie die Aussagen von Frau Keller. Hören Sie dann und antworten Sie.

○ Auf Wiederhören!
○ Gut, dann kommen Sie um 9:30 Uhr.
○ Und am Donnerstag? Können Sie vielleicht am Vormittag?
○ Und heute, am Mittwoch?
○ Ja, gern. Haben Sie am Freitag Zeit?
○ Was kann ich für Sie tun?
○ Praxis Dr. Steinig, Svetlana Keller, guten Morgen.

B Hören Sie Frau Keller und antworten Sie.

Terminkalender	
Mittwoch	8–12 Büro
	15–18 Kindergeburtstag
Donnerstag	12–18 Büro
Freitag	8–13 Büro
	14–19 Fotokurs

Pünktlichkeit?

15   **Wie heißen die Sätze? Wer sagt das: der Lehrer oder der Schüler? Notieren Sie.**

1. bitte / ich / Entschuldigung / um
2. leid / tut / mir / es
3. gut / schon
4. Sie / entschuldigen / bitte
5. nichts / macht
6. Problem / kein

1. Schüler: Ich bitte um Entschuldigung.

R1 **Welche Uhrzeiten hören Sie? Kreuzen Sie an.**

1.53

1. a 18:30
   b 19:30

2. a 19:25
   b 19:55

3. a 5:45
   b 6:15

4. a 17:20
   b 20:05

	☺☺	☺	😐	☹	KB	ÜB
🔊 Ich kann Uhrzeiten verstehen.	☐	☐	☐	☐	4, 5b, 6	4, 5a, 6

R2 **Einen Termin vereinbaren. Spielen Sie zu zweit.**

A Sie brauchen einen Termin beim Arzt.

Montag	8:00–14:00 Arbeit
Dienstag	9:00–18:00 Seminar
Mittwoch	9:00–15:00 Arbeit
Donnerstag	9:00–18:00 Seminar
Freitag	8:00–? Ausflug

Mittwoch: 14:00–18:00 Uhr
Dienstag und Donnerstag: 14:00–16:00 Uhr
Montag–Freitag: 9:00–12:00 Uhr

Sprechzeiten

Praxis Dr. Rosch

**B Sie arbeiten in einer Arztpraxis und jemand
braucht einen Termin.**

	☺☺	☺	😐	☹	KB	ÜB
💬 Ich kann einen Termin telefonisch vereinbaren.	☐	☐	☐	☐	13, 14	13, 14

R3 **Nicht pünktlich! Ergänzen Sie die Redemittel für eine Entschuldigung.**

1. Ich bin zu _____. Es tut mir _____.

2. Bitte _____ Sie.

3. Ich _____ um Entschuldigung.

	☺☺	☺	😐	☹	KB	ÜB
💬 Ich kann mich für eine Verspätung entschuldigen.	☐	☐	☐	☐	15c-d	15

Außerdem kann ich ...	☺☺	☺	😐	☹	KB	ÜB
💬🖉 ... über den Tagesablauf berichten.	☐	☐	☐	☐	1, 2, 3, 6	1b, 2, 6
💬 ... Zeitangaben machen.	☐	☐	☐	☐	5a, 6	3, 5b
📖 ... einen Terminkalender verstehen.	☐	☐	☐	☐	7a	7
🔊📖 ... eine Nachricht mit Terminen und Terminvorschlägen verstehen.	☐	☐	☐	☐	7b, 11	11b
📖🖉 ... einen kurzen Text über Familie verstehen und schreiben.	☐	☐	☐	☐	8, 10a-b	8c, 8e, 10a-b
🖉 ... einen Text über mich und was ich muss/kann/will schreiben.	☐	☐	☐	☐		11f
💬 ... mich verabreden.	☐	☐	☐	☐	12	12

Alltag

schlafen, er schläft _____

duschen _____

besuchen _____

treffen, er trifft _____

die Nachricht, -en _____

die Uni, -s _____

in die Uni/Schule fahren _____

die Mensa, Mensen _____

die Bibliothek, -en _____

die Musikschule, -n _____

die Hausaufgabe, -n _____

die Zeitung, -en _____

am Computer arbeiten _____

die Homepage, -s _____

der Stress (Sg.) _____

Uhrzeit

die Uhr, -en _____

Wie viel Uhr ist es? _____

Wie spät ist es? _____

Es ist vier Uhr. _____

Es ist Viertel vor vier. _____

Es ist Viertel nach vier. _____

Es ist halb fünf. _____

Es ist kurz vor vier. _____

Es ist zehn nach vier. _____

um (um drei Uhr) _____

die Sekunde, -n _____

die Minute, -n _____

die Stunde, -n _____

eine halbe Stunde _____

die Verspätung, -en _____

pünktlich _____

zu spät kommen _____

Familie

die Familie, -n _____

der/die Verwandte, -n _____

das Baby, -s _____

das Kind, -er _____

der Junge, -n _____

das Mädchen, - _____

der Sohn, ⸚e _____

die Tochter, ⸚ _____

die Mutter, ⸚ _____

der Vater, ⸚ _____

die Eltern (Pl.) _____

der Bruder, ⸚ _____

die Schwester, -n _____

die Geschwister (Pl.) _____

die Großmutter, ⸚ _____

die Oma, -s _____

der Großvater, ⸚ _____

der Opa, -s _____

die Großeltern (Pl.) _____

der Mann (mein Mann) _____

die Frau (meine Frau) _____

ledig _____

verheiratet _____

Termine und Verabredungen

die Zeit, -en _____

Hast du morgen Zeit? _____

telefonieren _____

Auf Wiederhören. _____

am (am Montag) _____

von … bis (von Montag bis Freitag) _____

können, er kann _____

müssen, er muss _____

wollen, er will _____

die Party, -s _____

eine Party machen _____

die Bar, -s _____

sitzen _____

der Kalender, - _____

die Besprechung, -en _____

Was kann ich für Sie tun? _____

Ich hätte gern einen Termin. _____

Haben Sie am … einen Termin frei? _____

Geht es am … um …? _____

Nein, das geht leider nicht. _____

andere wichtige Wörter und Wendungen

krank _____

der Sport (Sg.) _____

der Ball, ⸚e _____

das Motorrad, ⸚er _____

die Geige, -n _____

Geige spielen _____

das Saxofon, -e _____

die Trompete, -n _____

der Hund, -e _____

süß *(Euer Hund ist so süß.)* _____

die Idee, -n _____

Gute Idee! _____

liebe Grüße _____

willkommen _____

cool _____

falsch _____

das Problem, -e _____

die Praxis, Praxen _____

schade _____

Tut mir leid. _____

Bitte entschuldigen Sie. _____

Macht nichts. _____

Wichtig für mich:

_____

_____

_____

Ergänzen Sie die Wörter.

1. Der Vater von meiner Mutter ist mein _____.

2. Die Tochter von meinem Vater ist meine _____.

3. Ich habe drei _____: einen Bruder und zwei Schwestern.

4. Meine _____ sind noch jung. Mein Vater ist 48 und meine Mutter 47 Jahre alt.

5. Meine Tante hat drei Kinder: zwei _____ und eine Tochter.

Welche Verben passen? Es gibt mehrere Möglichkeiten.

1. in die Mensa _____

2. am Computer _____

3. Geige _____

4. Oma und Opa _____

Wie spät ist es? Schreiben Sie die offizielle und die inoffizielle Uhrzeit.

_____

_____

_____

_____

_____

Zeit mit Freunden

1 a Welche Beschreibung passt? Ordnen Sie die Fotos zu und ergänzen Sie die Texte.

A

B

C

D

Frühling | Sommer | ~~Herbst~~ | Winter | Ski fahren |
Monate | wandern | klettern | lesen | gehe

1 _____

> Im Sommer ist es zu warm, aber im
> _Herbst_ ist es schön. Da können wir
> wunderbar _____. Das ist super!

2 _____

> Wandern mag ich nicht, aber ich mag die Berge.
> _____ ist mein Hobby. Das ist cool,
> besonders im _____ – im Juli oder August.

3 _____

> April, Mai, das sind meine _____
> Mittags _____ ich in den Park, da kan
> ich _____ oder Nachrichten schreiben
> Ich liebe den _____.

4 _____

> Ich mag den _____. Ich bin gern draußen
> Da kann ich _____ _____
> Das finde ich toll.

b Was machen Sie gern drinnen oder draußen, allein oder zusammen mit anderen? Notieren Sie je zwei
Aktivitäten.

	drinnen [X]	draußen [X]
allein		
zusammen mit anderen		

→•← **c** **Was machen Sie (nicht) gern? Wählen Sie.**

🖉 **A** Schreiben Sie einen Text wie in 1a.
Die Wörter unten helfen.

B Schreiben Sie einen Text wie in 1a.

Ich mag … | … mag ich nicht. | Ich bin gern drinnen/
draußen. | Das ist cool/super/… | Im … ist es schön. /
nicht schön. | … / Da kann ich …

🔊 **2 a** **Hören Sie. Je drei Antworten sind richtig. Kreuzen Sie an.**

1.54–56

1. Anna Kupić möchte am Wochenende …
   ☒ nichts tun. ⬚ b tanzen. ⬚ c lesen. ⬚ d ins Kino gehen.

2. Philipp Hofer will am Wochenende …
   ⬚ a schlafen. ⬚ b fotografieren. ⬚ c feiern. ⬚ d klettern.

3. Kathi Gerber möchte am Wochenende …
   ⬚ a einen Film sehen. ⬚ b Fahrrad fahren. ⬚ c Freunde treffen. ⬚ d grillen.

b **Rätsel: Welche Freizeitaktivitäten mögen die Personen?**

Mila, Helena, Alex und Ali haben verschiedene Hobbys: Fahrrad fahren, lesen,
Computer spielen und schwimmen.

Sie haben einen Computer, eine Kamera, einen Fußball und Ski.

Mila fährt gern Fahrrad, sie hat keinen Fußball, Fußball mag sie nicht. Helena
mag ihre Ski. Alex findet Computer spielen super. Der Schwimmer mag seine
Kamera.

	Das machen sie:	Das haben sie:
Mila	*Fahrrad fahren*	
Helena		*Ski*
Alex		
Ali		

→•← **c** **Wählen Sie.**

A Ergänzen Sie die Sätze.
Die Wörter unten helfen.

B Ergänzen Sie die Sätze.

1. Hier bin ich oft. Ich sehe gern Filme. Das _____ heißt „Forum".

2. Ich mag Fußball. Mein Team spielt in Hamburg im _____ am Millerntor.

3. Das ist das _____ „Seiler". Hier esse ich gern, es schmeckt sehr gut.

4. Hier treffe ich Freunde und ich trinke Kaffee. Das _____ „Central" finde ich super.

5. Ich bin gern im Wasser, Schwimmen ist mein Sport. Ich gehe gern ins _____.

6. Am Samstag kaufe ich hier ein. Der _____ ist schön, die Lebensmittel sind frisch.

Café | Stadion | Kino | Markt | Restaurant | Schwimmbad

Eine Überraschung für Sofia

3 a   **Ergänzen Sie die Nachrichten von Sofia und Anne.**

> Hallo Sofia, alles k _ _ _ ? Hast du
> a _ Samstag Z _ _ _ ?

> Okay. Am Morgen m _ _ _
> ich noch einkaufen.

> Hi Anne! Ja, es g _ _ _ mir gut!
> W _ _ willst du ma _ _ _ _?

> Dann ko _ _ _ ich um 10:30 Uhr, okay?
> Dann kö _ _ _ _ wir schwimmen.

> Gehen wir am Vorm _ _ _ _ _ ins
> Schw _ _ _ _ _ _ ?

> Gut. Das machen w _ _. Bis Samstag
> u _ 10:30 Uhr.

b   **Carina hat Geburtstag. Sie spricht mit Ben. Ordnen Sie zu.**

1. ○ Was machst du am Geburtstag, Carina? _E_
2. ○ Super! Machst du eine Party? _____
3. ○ Klar! Wo und wann möchtest du feiern? _____
4. ○ Kann ich helfen? _____
5. ○ Ja, gerne. Wann? _____
6. ○ Ja, das geht. Ich nehme das Auto. _____

A ● Ja, bitte. Können wir zusammen Essen und Getränke kaufen?
B ● Am Samstag bei mir. Da können wir draußen oder drinnen sein.
C ● Toll, danke. Das ist nett!
D ● Geht es am Freitagnachmittag, so um zwei Uhr
E ● Na, ich möchte feiern.
F ● Ja. Kommst du?

4 a   **Wann haben die Personen Geburtstag? Schreiben Sie die Daten.**

Angelika: Am vierten Ersten. / Am vierten Januar.

_____

_____

_____

_____

_____

Geburtstagskalender	
04. 01.	Angelika
09. 02.	Anton
12. 03.	Marcel
07. 04.	Ines
20. 05.	Oleg
01. 06.	Mirka

🔊 1.57   **b**   **Hören Sie. Notieren Sie das Datum.**

1. Das Fußballspiel vom FC Bayern München ist am _2. / zweiten_ September.

2. Am _____ September ist das Konzert von Ed Sheeran in der Olympiahalle.

3. Der Film „Moonlight" kommt ab _____ September im Forum-Kino.

4. In Nürnberg ist ab _____ September das Stadtfest.

5. Die Radtour „An der Isar" ist am _____ September.

🔊💬 1.58   **5 a**   ***ei, eu, au.* Wen möchten die Personen sprechen? Hören Sie und kreuzen Sie an.**

1. ☐ Datz   ☐ Deutz   ☐ Deitz
2. ☐ Tuchel   ☐ Tauchel   ☐ Täuchel
3. ☐ Meitner   ☐ Mutner   ☐ Mautner

4. ☐ Greber   ☐ Greiber   ☐ Grauber
5. ☐ Demel   ☐ Daimel   ☐ Deumel
6. ☐ Kroner   ☐ Kräuner   ☐ Krauner

> **!**
> *eu* und *äu*, *ei* und
> spricht man gleic
> *Meier/Maier*
> *Kreutner/Kräutne*
> Sie hören keinen
> Unterschied.

b **Lesen Sie zuerst leise, dann laut. Hören Sie dann und kontrollieren Sie.**

1.59

1. Herr Hai aus Haudorf und seine Frau haben heute frei.
2. Meine Freundin Laura hat am neunten Mai Geburtstag.
3. Am zweiten August fährt Aurelia Meier mit dem Auto nach Heidelberg.
4. Die Freunde von Rainer kaufen am Freitag Fleisch in der Metzgerei.
5. Heike und Claudia machen eine Reise nach Neuenburg in der Schweiz.

HAUDORF

6 a **Trennbare Verben. Ergänzen Sie.**

abholen | anfangen | ~~einladen~~ | mitbringen | mitkommen

1. Carina	*lädt*	ihre Freunde zur Party	*ein*
2. Die Party		am Samstag um 21:00 Uhr	
3. Die Freunde		Essen	
4. Ben		zum Supermarkt	
5. Ben		Carina mit dem Auto	

b **Markieren Sie den Akzent wie im Tipp: kurz . oder lang _.**
Hören Sie dann zur Kontrolle.

1.60

1. anrufen
2. aufstehen
3. vorstellen
4. einsammeln
5. mitmachen

> **!**
>
> **Wortakzent**
> Bei trennbaren Verben betont man
> immer das Präfix. In der Wortliste kann
> man sie gut erkennen, der Wortakzent
> ist markiert: ab|holen, ein|laden, …

c **Schreiben Sie Sätze. Beginnen Sie mit den markierten Wörtern.**

1. ich / meinen Freund / anrufen / .   *Ich rufe meinen Freund an.*

2. Lisa / um 7:00 Uhr / aufstehen / .

3. du / Lorenz / abholen / ?

4. wir / zur Party / was / mitbringen / ?

5. Florian / seine Freundin / vorstellen / .

6. alle Freunde / mitmachen / .

d **Trennbare Verben mit und ohne Modalverb. Ergänzen Sie die Sätze.**

mitbringen | das Geld einsammeln | die Party anfangen | Igor abholen | mitkommen |
~~seine Freunde einladen~~

1. Goran macht eine Party und _lädt seine Freunde ein_ .

2. Ich habe eine Frage: Kann mein Freund _____ ?

3. Noch eine Frage: Wann _____ ?

4. Ines _____ und sie kauft das Geschenk.

5. Ich habe ein Auto und kann _____ .

6. Esra, kannst du bitte einen Salat _____ ?

7 Monas Freundinnen organisieren ein Picknick. Lesen Sie die Checkliste und schreiben Sie Fragen.

Wer macht das?
✓ Gäste einladen?
✓ Getränke einkaufen?
✓ Essen mitbringen?
✓ Mona abholen?

1. *Wer lädt die Gäste ein?*
2. _____
3. _____
4. _____

8 Nummerieren Sie die Punkte und schreiben Sie dann eine Einladung. Achten Sie auf Anrede und Gruß.

_____ Liebe/Viele Grüße

_____ Ort: bei mir

__1__ Hallo …, / Liebe/Lieber …,

_____ Zeit: am 18.11. um 20:00 Uhr

_____ Hoffentlich hast du Zeit.

_____ alle herzlich einladen

__2__ ein Fest / eine Party machen

Hallo Max, _____
_____
_____
_____
_____
_____
_____
_____

Im Restaurant

9 Sehen Sie die Bilder im Kursbuch an. Ordnen Sie die Geschichte.

_____ A Leela ist schon am Restaurant.

_____ B Jan und Leela suchen ein Restaurant.

__1__ C Jan und Leela möchten essen gehen.

_____ D Aber sie haben kein Glück: Hunde sind im Restaurant verboten.

_____ E Alle drei haben Hunger und möchten etwas essen.

_____ F Jan kommt und bringt seinen Hund Nero mit.

_____ G Sie sehen ein Café. Hier haben sie Glück. Endlich Essen!

_____ H Sie wollen um 19:00 Uhr ins Restaurant gehen.

10 a Mittags im Restaurant. Was gibt es heute? Hören Sie und kreuzen Sie an. Mehrere Antworten sind richtig.

1.61

1. ⓐ Kartoffelsuppe ⓑ Nudelsuppe ⓒ Nudeln ⓓ Kuchen
2. ⓐ Fleisch ⓑ Fisch ⓒ Gemüse ⓓ Salat
3. ⓐ Pizza ⓑ Salat ⓒ Schnitzel ⓓ Suppe

b Markieren Sie und schreiben Sie die zehn Getränke mit Artikel.

MXLIMONADETWKAPFELSAFTBNMCOLAYXÄKAFFEELOPWASSERLM
OWEINNUVORANGENSAFTASDFTEELEPBIERUCHMILCHKUF

die Limonade, ...

c Wer bekommt was? Lesen Sie und markieren Sie die Personalpronomen im Akkusativ. Ergänzen Sie die Tabelle.

○ Für wen ist der Salat?
● Der Salat ist für mich, vielen Dank.
○ Und die Suppe?
● Die Suppe ist für dich, Hanna, oder?
△ Ja, vielen Dank.
○ Und die Pommes frites?

● Tina und Chris, die Pommes sind für euch, richtig?
▲ Nein, Matteo will Pommes. Sie sind für ihn.
○ Okay. Und das Hähnchen? Für wen ist das?
● Wo ist denn Sara? Das Hähnchen ist doch für sie.
○ Ist der Wein auch für Sie?
● Nein, der ist nicht für uns.

Nominativ	ich	du	er	es	sie	wir	ihr	sie/Sie
Akkusativ				es				sie/

d Verben mit Akkusativ. Kreuzen Sie das richtige Personalpronomen an.

1. Wo ist der Kellner? Ich sehe ☐ mich ☐ ihn ☐ uns nicht.
2. Hast du am Montag Zeit? Wir sind zu Hause. Besuchst du ☐ sie ☐ uns ☐ euch am Abend?
3. Meine Schwester ist im Restaurant. Ich hole ☐ dich ☐ ihn ☐ sie mit dem Auto ab.
4. Sara und Matteo haben auch Zeit. Kann ich ☐ sie ☐ Sie ☐ euch zur Party mitbringen?
5. Wo seid ihr? Ich kann ☐ dich ☐ euch ☐ sie nicht sehen.

e Schreiben Sie die Sätze. Achten Sie auf die Personalpronomen im Akkusativ.

1. Die Pizza _ist für dich._ _____ (für / du / sein)

2. Die Pommes _____ (für / ihr / sein)

3. Peter _____ (wir / einladen / zum Essen)

4. Mein Bruder _____ (ich / besuchen / heute)

5. Marie und Tobi _____ (er / treffen / am Abend)

f Ergänzen Sie die Personalpronomen im Akkusativ.

1.
Hi Frida, gehen wir morgen essen? Ich lade _____ ein. 😎

Ja, gern. Um 20 Uhr im Café Jojo? Ruf _____ an!

2.
Markus und Anja haben heute Zeit. Ich koche am Abend für _____. Kommst du auch?

Nein, heute nicht. Julia ist krank. 😷 Ich will _____ besuchen.

3.
Luis kommt! Maja und ich holen _____ um 18 Uhr am Flughafen ab. 🌍 Kommst du mit?

Okay, ich treffe _____ dort.

11 a   **Die Bestellung. Ordnen Sie die Dialoge.**

Dialog A

_____ ○ Gern, danke.

_____ ○ Und möchten Sie etwas essen?

__1__ ○ Was möchten Sie trinken?

_____ ● Ja, ich hätte gern eine Nudelsuppe und
       einen Salat.

_____ ● Ich nehme einen Apfelsaft.

Dialog B

_____ ○ Und für Sie?

_____ ● Ja, für mich bitte Spaghetti.

_____ △ Für mich nichts, danke.

_____ ○ Möchten Sie auch etwas essen?

_____ ● Ich hätte gern einen Kaffee.

_____ ○ Hallo. Was möchten Sie?

_____ △ Und für mich eine Limonade, bitte.

🔊
1.62

→•←

b   **Und was bestellen Sie? Wählen Sie.**

Speise- und Getränkekarte		
Pizza		7,90 €
Spaghetti Bolognese		6,80 €
Hähnchen mit Pommes frites		11,90 €
Fisch mit Kartoffelsalat		11,90 €
Wasser	0,2 l	1,80 €
Cola/Limonade	0,2 l	2,80 €
Saftschorle	0,5 l	3,80 €

**A Notieren Sie Ihre Antworten. Hören Sie dann
den Kellner und sprechen Sie.**

○ Guten Abend! Was möchten Sie trinken?

● _____

○ Und was essen Sie, bitte?

● _____

○ Vielen Dank. Ich bringe Ihnen gleich das Getränk.

B Hören Sie den Kellner und antworten Sie.

c   **Spielen Sie kurze Dialoge.**

das Glas
die Gabel
die Serviette
der Teller
das Messer
der Löffel
die Tasse
die Speisekarte

_Ja, natürlich.
Einen Moment._

_Entschuldigung, kann ich bitte
einen Löffel haben?_

Ich möchte ..., bit

12 a   **Was passt wo? Ordnen Sie zu.**

Machen Sie zwölf, bitte. | Stimmt so. | Getrennt. | Können wir bitte zahlen?

○ Entschuldigung. (1) _____

● Ja, natürlich. Zusammen oder getrennt?

○ (2) _____

● Gut, einmal Salat mit Käse und ein Wasser. Das macht 10,70 €.

○ (3) _____

● Danke schön. Und einmal Salat mit Schinken und ein Orangensaft. Das macht 11,40 €.

△ (4) _____

○ Vielen Dank. Und hier drei Euro zurück.

b **Wie kann man auch sagen? Ordnen Sie zu.**

1. Zahlen, bitte! _____   A Danke schön.

2. Zusammen oder getrennt? _____   B Zwölf, bitte.

3. Machen Sie zwölf Euro, bitte. _____   C Die Rechnung, bitte.

4. Vielen Dank. _____   D Geht das zusammen?

13 a **Leela und Caro erzählen. Ergänzen Sie den Dialog.**

war | waren | Hattest | wart | Hattet | war | war | warst | war | hatten | war | waren | hatte

○ (1) _____ du ein schönes Wochenende?

● Ja, sehr schön!

○ Wie (2) _____ das Essen mit Jan?

● Super! Und dein Ausflug am Freitag?

○ Der Ausflug (3) _____ toll! Und wo

   (4) _____ du?

● Ich (5) _____ leider keine Zeit.

   Ich (6) _____ am Freitag bis acht Uhr abends im Büro.

○ Wo (7) _____ ihr am Sonntag, du und Jan?

● Wir (8) _____ im Park. Und du?

○ Ich (9) _____ mit Mia im Restaurant. Markus und Anja (10) _____ auch da.

● Und? (11) _____ ihr Spaß?

○ Ja, wir (12) _____ viel Spaß. Der Abend (13) _____ total lustig.

b **Präteritum. Ergänzen Sie die Tabelle und dann die Verben in den Sätzen.**

	haben	sein
ich	_____	_____
du	_____	_____
er/es/sie	*hatte*	_____
wir	_____	_____
ihr	_____	_____
sie/Sie	*hatten*	_____

1. Ich _____ gestern keine Zeit.
2. Wo _____ du denn?
3. Das Essen _____ gut.
4. Wir _____ Hunger.
5. _____ ihr im Restaurant?
6. Sie _____ viel Spaß.

c **Bilden Sie acht Sätze.**

| ich du die Kinder sie wir ihr das Essen der Abend | hatten/waren hattest/warst hatte/war hattet/wart | im Park viel Spaß nicht toll keine Zeit Hunger und Durst teuer sehr nett/schön |

Ich hatte keine Zeit.

Kneipen & Co. in D-A-CH

14 a **Lesen Sie die Mail und notieren Sie: Wann und wo will Emilia Sven treffen?**

> Lieber Sven,   ☒
>
> wie geht's dir? Wir müssen uns mal wieder sehen! Warst du schon in der neuen Strandbar am Rhein?
> Sie ist wirklich toll. Vielleicht hast du am Donnerstag Zeit und wir treffen uns dort.
> Bei Regen können wir in die Kneipe gehen. Oder hast du eine andere Idee?
>
> Viele Grüße
>
> Emilia

1. Wo? _____   2. Wann? _____

b **Schreiben Sie Emilia eine Antwort.**

> (1) _____ Emilia,   ☒
>
> (2) _____ für deine Mail. (3) _____
>
> habe ich leider keine Zeit. Können wir uns auch (4) _____
>
> treffen? Vielleicht um (5) _____?
>
> Strandbar ist super! Bei Regen können wir auch (6) _____.
>
> Oder vielleicht (7) _____. Ich rufe dich morgen an, okay?
>
> (8) _____
>
> Sven

Was ist los in ...?

15 **Lesen Sie die Anzeigen und die Sätze. Welche Anzeige ist interessant für Sie? Notieren Sie.**

1. Sie möchten ein Rock-Konzert besuchen. _____

> A
> ### Musik-Hansa im Zentrum
> **Von Rock bis Klassik, von Pop bis House, wir haben alles!**
> **Alle CDs reduziert! Schon ab 2 Euro!**
>
> Musik-Hansa · Goethestr. 5 · 10117 Berlin

> B
> **Der Konzert-Sommer kann kommen!**
> Alle Informationen zu Bands, Terminen,
> Ticketpreisen unter
>
> www.nürnbergtick.de oder 0812-894319

2. Sie suchen Informationen über das Kulturprogramm in Berlin. _____

> C
> ### Theater, Kino, Museum
> **Alle kulturellen Events in Berlin finden
> Sie in der *Perle* – online oder print!**
>
> Immer aktuell!

> D
> ### *Kultur pur*
> *Das große Fest der Kulturen*
> **Musik – Essen – Menschen aus der ganzen Welt**
>
> Eine-Welt-Haus Berlin am 9.8. um 16 Uhr

R1 Arbeiten Sie zu zweit und spielen Sie die Situationen.

A Gast
Situation 1: Sie sind im Restaurant und möchten bestellen.
Situation 2: Sie möchten bezahlen.

B Kellner/in
Situation 1: Ein Gast möchte bestellen.
Situation 2: Der Gast möchte bezahlen.

	☺☺ ☺ ☺ ☹	KB	ÜB
💬 Ich kann Essen und Getränke bestellen und bezahlen.	☐ ☐ ☐ ☐	10c, 11, 12	11, 12

R2 Sprechen Sie zu zweit. Wählen Sie ein Ereignis und erzählen Sie. Wie war's?

A Fest von Freundin
Ort: Restaurant
Essen: gut
Leute: nett
viel Spaß

B Open-Air-Konzert
Leute: sehr viele
Musik: super
Ort: Park
Hunger

	☺☺ ☺ ☺ ☹	KB	ÜB
💬🔊 Ich kann über ein Ereignis sprechen und Berichte von einem Ereignis verstehen.	☐ ☐ ☐ ☐	13	13a, 13c

🔊 1.63 **R3** Hören Sie die Nachricht und notieren Sie die Informationen.

Was? _Konzert Clueso_

Wann? _____

Preis Ticket? _____

	☺☺ ☺ ☺ ☹	KB	ÜB
🔊 Ich kann Veranstaltungstipps im Radio verstehen.	☐ ☐ ☐ ☐	15b	4b

Außerdem kann ich ...	☺☺ ☺ ☺ ☹	KB	ÜB
💬✏ ... über Freizeit sprechen und schreiben.	☐ ☐ ☐ ☐	1, 2b	1
🔊💬 ... das Datum verstehen und nennen.	☐ ☐ ☐ ☐	4, 5	4
📖✏ ... eine Einladung verstehen und schreiben.	☐ ☐ ☐ ☐	6a, 8	8
💬 ... über Geburtstage sprechen.	☐ ☐ ☐ ☐	7	7
📖 ... wichtige Informationen in Texten finden.	☐ ☐ ☐ ☐	3, 14a, 15a	15
✏ ... mich per E-Mail verabreden.	☐ ☐ ☐ ☐		14

Freizeitaktivitäten

ins Fitness-Studio gehen _____

klettern _____

Ski fahren _____

wandern _____

der Ausflug, ⸗e _____

einen Ausflug machen _____

die Fahrradtour, -en _____

das Picknick, -s _____

Feste/Partys

das Fest, -e _____

feiern _____

der Geburtstag, -e _____

werden, er wird _(Sie wird 30 Jahre alt.)_ _____

schenken _____

das Geschenk, -e _____

ein|laden _____

das Datum (Sg.) _____

die Überraschung, -en _____

Achtung! _____

wissen, er weiß _(Achtung, sie weiß nichts.)_ _____

mit|bringen _____

Spaß haben _____

hoffentlich _(Hoffentlich kommt ihr.)_ _____

eine Mail schreiben

die Mail, -s _____

schicken _____

der Betreff, -e _____

die Anrede, -n _____

herzliche Grüße _____

Speisen und Getränke

die Schorle, -n _____

das Eis (Sg.) _____

die Salami, -s _____

das Schnitzel, - _____

die Tomatensuppe, -n _____

der Sandwich, -s _____

bestellen und bezahlen

der Durst (Sg.) _____

der Hunger (Sg.) _____

die Speisekarte, -n _____

die Bestellung, -en _____

bestellen _____

bringen _____

Für wen ist …? _____

bezahlen _____

zahlen _(Zahlen, bitte.)_ _____

die Rechnung, -en _____

Zusammen oder getrennt? _____

das Trinkgeld (Sg.) _____

geben, er gibt _____

Stimmt so. _____

Auf dem Tisch

die Gabel, -n _____

das Messer, - _____

der Löffel, - _____

das Glas, ⸗er _____

die Tasse, -n _____

der Teller, - _____

die Serviette, -n _____

Lokale

die Kneipe, -n _____

das Kaffeehaus, ⸗er _____

das Lokal, -e _____

der Biergarten, ⸗ _____

die Bank, ⸗e _____

die Selbstbedienung (Sg.) _____

geöffnet _____

draußen _(Man kann draußen sitzen.)_ _____

Veranstaltungen

das Programm, -e _____

los sein *(Was ist los?)* _____

(keine) Lust haben _____

mit|kommen _____

der Treffpunkt, -e _____

der Eintritt, -e _____

die Anmeldung, -en _____

beginnen _____

enden _____

die Karte, -n _____

andere wichtige Wörter und Wendungen

ab|holen _____

an|fangen, er fängt an _____

an|rufen _____

auf|hören _____

mit|machen _____

glauben _____

laufen, er läuft _____

genießen _____

passieren _____

zu Hause _____

kalt _____

warm _____

wieder _____

typisch _____

verboten _____

überall _____

besonders *(Was ist besonders?)* _____

der Spielplatz, ⸚e _____

früh _____

Warum nicht? _____

Alles klar? _____

Wann denn? _____

Klingt gut. _____

Wichtig für mich:

_____

_____

_____

Im Restaurant. Ergänzen Sie die Wörter.

1. die S _ _ _ s _ k _ _ _ _ _

2. der K _ _ _ n _ _

3. die B _ _ _ e _ _ _ n _

4. das Tr _ _ _ g _ _ d

Was ist auf dem Tisch? Notieren Sie die Wörter.

das Glas,

_____

_____

_____

Geburtstag feiern. Finden Sie fünf Wörter.

brin | den | ein | Ge | gen | ken | la | mit | rasch | schen | schenk | Über | ung

_____

_____

_____

_____

Prüfungstraining

Lesen: Teil 1 – Kurze Mitteilungen verstehen

1 **Was können Sie schon? Kreuzen Sie an. Lesen Sie dann die Tipps und das Beispiel.**

Ich kann …
- ☐ … kurze, einfache schriftliche Mitteilungen verstehen.
- ☐ … Einladungen verstehen.
- ☐ … Uhrzeiten verstehen.

Text und Aussagen
Sie lesen in der Prüfung (Lesen: Teil 1) zwei kurze
E-Mails, Briefe oder Mitteilungen und dazu fünf
Aussagen.
Lesen Sie zuerst die Aussagen und dann den
Text. Markieren Sie im Text: Welche Wörter und
Ausdrücke passen zu Aussage 1, welche passen zu
Aussage 2? Entscheiden Sie dann: Ist die Aussage
richtig oder falsch?

Betreff: Treffen!

Liebe Lili,

wir treffen uns heute Abend um 19:15 Uhr direkt im Kino. Der Film läuft im City-Kino und beginnt um
19:30 Uhr.
Du kennst doch Matilda und Valentin aus dem Sprachkurs. Sie kommen auch mit. Wir können dann ja
noch in ein Restaurant gehen.

Viele Grüße
Jakob

---

1. Lili und Jakob treffen sich im Restaurant. | Richtig | Fa~~l~~sch |

2. Der Film fängt um halb acht an. | Ric~~h~~tig | Falsch |

Achtung!
- Es gibt nicht zu allen Informationen im Text
  eine Aussage.
- Die Aussagen sind anders formuliert als im

2 **Die Prüfungsaufgabe. Machen Sie jetzt den Prüfungsteil Lesen, Teil 1.**

Teil 1   Lesen Sie die beiden Texte und die Aufgaben 1 bis 5.
Kreuzen Sie an: | Richtig | oder | *Falsch* | .

Beispiel

0 Sara feiert ihren Geburtstag am Samstagabend. | Richtig | | *Fal̶s̶ch* |

Betreff: Einladung   ⊠

Hallo Eva,

ich werde 25 und möchte dich gern einladen. Ich feiere am Samstag, den 10.08., ab 15 Uhr im Schlosspark und mache ein großes Picknick! Du kannst gern deinen Freund mitbringen. Kannst du vielleicht einen Kuchen machen? Bei Regen machen wir das Picknick bei mir zu Hause. ☺
Kommst du? Bitte antworte bald.

Liebe Grüße
Sara

---

1 Evas Freund kann auch mitkommen. | Richtig | | *Falsch* |

2 Bei Regen gibt es kein Picknick. | Richtig | | *Falsch* |

Betreff: Donnerstag   ⊠

Lieber Herr Stoll,

bitte kommen Sie am Donnerstag um 11:00 Uhr. Dann sprechen wir über das Projekt. Wir haben bis 12:30 Uhr Zeit. Um 13:00 Uhr lädt unsere Chefin, Frau Hochner, zum Mittagessen ein. Wir gehen ins Restaurant „Bugatti" am Waltherplatz. Ich kann mit Ihnen gemeinsam zum Restaurant gehen. Frau Hochner kommt direkt zum „Bugatti".
Sie können mich auch gern anrufen: 0674 / 12 35 813.

Mit freundlichen Grüßen
Andreas Ulmer

---

3 Der Termin ist am Vormittag. | Richtig | | *Falsch* |

4 Frau Hochner ist um 13:00 Uhr im Restaurant. | Richtig | | *Falsch* |

5 Andreas Ulmer ruft Herrn Stoll an. | Richtig | | *Falsch* |

Sprechen: Teil 2 – Um Informationen bitten und Informationen geben

3 a **Was können Sie schon? Kreuzen Sie an.**

Ich kann …
- ☐ … mit einfachen Ausdrücken über die Themen *Essen* und *Familie* sprechen.
- ☐ … einfache Gespräche beim Essen führen.
- ☐ … sagen, was ich gern mache und was nicht.

> **!**
>
> Sie sprechen in der Prüfung (Sprechen: Teil 2) mit anderen über zwei einfache Themen, zum Beispiel *Essen und Trinken* oder *Wochenende*.
> Jede Person in Ihrer Gruppe zieht je eine Karte zum ersten Thema: *Essen und Trinken*. Der/Die Erste stellt Frage, der/die Zweite antwortet und stellt selbst eine Frage. Alle stellen eine Frage und antworten einma[...] Dann sprechen Sie genau so zum zweiten Thema, zum Beispiel *Wochenende*.

b **Sie sprechen mit Ihren Partnern/Partnerinnen über das Thema *Essen und Trinken*. Welche Fragen passen zu der Karte? Kreuzen Sie an.**

Thema: Essen und Trinken

Kaffee

- ☐ 1. Trinken Sie oft Kaffee?
- ☐ 2. Mögen Sie gern Kaffee?
- ☐ 3. Was machst du heute Mittag?
- ☐ 4. Wie schmeckt der Kaffee?
- ☐ 5. Ist noch Kaffee da?
- ☐ 6. Essen Sie gern Kuchen?

c **Ordnen Sie die Antworten den Fragen aus 3b zu.**

- _4_ A Mmh, der Kaffee schmeckt gut.
- ___ B Ja, ich trinke jeden Tag drei oder vier Tassen Kaffee.
- ___ C Ja, bitte nehmen Sie! Mit Zucker und Milch?
- ___ D Ich liebe Kaffee.
- ___ E Nein, nicht so gern. Ich trinke Tee.
- ___ F Nein, ich trinke nie Kaffee.

> **!**
>
> **Sie fragen:**
> Machen Sie eine Frage mit dem [...]
> „Kaffee", zum Beispiel:
> *Trinken Sie gern Kaffee?*
>
> **Sie antworten:**
> Antworten Sie nicht nur „Ja" oder „Nein". Sagen Sie noch mehr daz[...]
> *Nein, nicht so gern. / Ja, ich trinke[...] Kaffee.*

4 **Die Prüfungsaufgabe. Arbeiten Sie in Gruppen. Spielen Sie die Prüfungssituation.**

Bitte nehmen Sie eine Karte. Fragen Sie Ihren Partner / Ihre Partnerin. Bitte denken Sie an das Thema *Freizeit*. Ihr Partner / Ihre Partnerin antwortet und stellt dann die nächste Frage.

Beispiel

Thema: Freizeit

Hobby

Machen Sie oft Sport?   *Nein, ich habe wenig Zeit.*

Ich gehe heute ins Kino.   *Was machen Sie am Abend?*

Thema: Freizeit

Abend

Plattform **2**

Thema: Freizeit	Thema: Freizeit	Thema: Freizeit
Sport	**Kino**	**Hobby**
Thema: Freizeit	Thema: Freizeit	Thema: Freizeit
Musik	**Abend**	**Freunde**

Schreiben: Teil 1 – Ein Formular ausfüllen

5 a **Was können Sie schon? Kreuzen Sie an.**

Ich kann …
- [ ] … persönliche Daten in Formularen ergänzen.
- [ ] … wichtige Informationen verstehen.

> **!**
>
> Sie ergänzen in der Prüfung (Schreiben: Teil 1) fünf Informationen aus einem Text in einem Formular. Sie finden die Informationen im Text über der Aufgabe. Lesen Sie zuerst das Formular. Welche Informationen fehlen? Lesen Sie dann den Text und markieren Sie die Informationen.

b **Die Prüfungsaufgabe. Machen Sie jetzt den Prüfungsteil Schreiben, Teil 1.**

Ihre Freundin Milena Ganterer möchte am 05.04. mit Freunden im Restaurant Kressbach essen gehen. Milena und ihre vier Freunde haben viel Zeit. Sie kommen am Samstag um 19:30 Uhr und sie wollen bis 22:00 Uhr bleiben. Milena wohnt in 80799 München, Völsesgasse 72. Man kann sie unter der Nummer 0151 / 47 10 72 12 anrufen.

Helfen Sie Ihrer Freundin und schreiben Sie die fünf fehlenden Informationen in das Formular.

Ihre Reservierung im Restaurant Kressbach		
Name	*Milena Ganterer*	(0)
Datum		(1)
Wochentag		(2)
Uhrzeit	von bis	(3)
Wie viele Personen?	Tisch für ☐ 2 Personen ☐ 3-4 Personen ☐ 5-6 Personen	(4)
Telefon		(5)

Sätze

Aussagesätze   K1, K5, K6

Position 1	Position 2		Satzende
Ich	bin	Julia.	
Niklas	wohnt	in Hamburg.	
Wir	können	nicht ins Kino	gehen.
Wir	holen	Sofia	ab.

Im Aussagesatz steht das konjugierte Verb auf Position 2.
In Aussagesätzen mit Modalverb steht das konjugierte Modalverb auf Position 2, der Infinitiv am Satzende.
In Aussagesätzen mit trennbarem Verb steht der konjugierte Verbteil auf Position 2, das Präfix am Satzende.

Position im Satz   K4

Position 1	Position 2	
Lina	isst	morgens Müsli.
Morgens	isst	Lina Müsli.

Im Aussagesatz steht das Subjekt vor oder nach dem Verb.

W-Fragen   K1, K5, K6

Position 1	Position 2		Satzende	
Wer	bist	du?		Ich bin Oliver.
Wie	heißen	Sie?		Ich heiße Oliver Hansen.
Wo	wohnen	Sie?		In Hamburg.
Woher	kommst	du?		Aus Mexiko.
Welche Sprachen	sprichst	du?		Spanisch und Deutsch.
Wann	kannst	du	kommen?	Um acht.
Wie lange	bleibst	du?		Zwei Stunden.
Was	bringst	du	mit?	Ich bringe einen Kuchen mit.
Wen	lädst	du zur Party	ein?	Ich lade meine Freunde ein.
Für wen	ist	das Wasser?		Für ihn.
Wie viel	kostet	das?		Zwei Euro achtzig.
Warum	kommst	du nicht	mit?	Ich habe keine Zeit.

In der W-Frage steht das W-Wort auf Position 1: *Wer? Wie? Wie lange? Wie viel? Wo? Woher? Wann? Was? Wen? Für wen? Warum? Welche (Sprache)?*
Das konjugierte Verb steht auf Position 2.

Ja-/Nein-Fragen

Position 1	Position 2		Satzende	
Gehen	wir	ins Kino?		Ja.
Haben	Sie	am Dienstag Zeit?		Nein, leider nicht.
Musst	du	heute	arbeiten?	Nein.
Kommt	ihr	am Samstag	mit?	Ja, gern.

In der Ja-/Nein-Frage steht das konjugierte Verb auf Position 1. Das Subjekt steht auf Position 2.

Imperativsätze mit *Sie*

Position 1	Position 2		Satzende
Gehen	Sie	links!	
Fahren	Sie	bitte rechts.	
Sprechen	Sie		nach.

Im Imperativsatz steht das konjugierte Verb auf Position 1. Das Subjekt steht auf Position 2.

Verb

Präsens: Konjugation

	wohnen	arbeiten	heißen	ab|holen	sprechen*	fahren**	Endung
ich	wohne	arbeite	heiße	hole ab	spreche	fahre	-e
du	wohnst	arbeitest	heißt	holst ab	sprichst	fährst	-(e)st
er/es/sie	wohnt	arbeitet	heißt	holt ab	spricht	fährt	-(e)t
wir	wohnen	arbeiten	heißen	holen ab	sprechen	fahren	-en
ihr	wohnt	arbeitet	heißt	holt ab	sprecht	fahrt	-(e)t
sie/Sie	wohnen	arbeiten	heißen	holen ab	sprechen	fahren	-en

unregelmäßige Verben

*e → i	**sprechen** (du sprichst, er/es/sie spricht)
	lesen (du liest, er/es/sie liest)
	ebenso: an|sehen, essen, geben, helfen, sehen, treffen
	! nehmen (du nimmst, er/es/sie nimmt)
**a → ä	**fahren** (du fährst, er/es/sie fährt)
	laufen (du läufst, er/es/sie läuft)
	ebenso: an|fangen, ein|fallen, ein|laden, raten, schlafen, waschen

besondere Verben

	sein	haben	werden
ich	bin	habe	werde
du	bist	hast	wirst
er/es/sie	ist	hat	wird
wir	sind	haben	werden
ihr	seid	habt	werdet
sie/Sie	sind	haben	werden

Hallo, ich **bin** Georg. Wer **bist** du?
Ich **habe** heute Zeit. **Hast** du auch Zeit?
Sofia **wird** 30.

! **wissen**

ich weiß	wir wissen
du weißt	ihr wisst
er/es/sie weiß	sie/Sie wissen

Modalverben

	müssen	**können**	**wollen**	**Endung**
ich	muss	kann	will	–
du	musst	kannst	willst	-(s)t
er/es/sie	muss	kann	will	–
wir	müss**en**	könn**en**	woll**en**	-en
ihr	müss**t**	könn**t**	woll**t**	-t
sie/Sie	müss**en**	könn**en**	woll**en**	-en

weitere Modalverben:

möchten: ich möcht**e**, du möcht**est**, er/es/sie möcht**e**, wir möcht**en**, ihr möcht**et**, sie/Sie möcht**en**
mögen: ich **mag**, du **magst**, er/es/sie **mag**, wir mög**en**, ihr mög**t**, sie/Sie mög**en**

Präteritum von *sein* und *haben*

	sein	**haben**		
ich	war	hatte	Ich **war** zu Hause.	Ich **hatte** Glück.
du	warst	hattest	Wo **warst** du?	**Hattest** du Spaß?
er/es/sie	war	hatte	Das Essen **war** lecker.	Der Hund **hatte** Durst.
wir	waren	hatten	Wir **waren** in Spanien.	Wir **hatten** viel Zeit.
ihr	wart	hattet	**Wart** ihr im Restaurant?	**Hattet** ihr Hunger?
sie/Sie	waren	hatten	Sie **waren** im Kino.	**Hatten** Sie einen Termin?

Imperativ mit *Sie*

Gehen	Sie links.
Fahren	Sie rechts!

Verben im Satz

Satzklammer

Modalverben in Aussagesätzen und W-Fragen

Ich	muss	jeden Abend bis 19:00 Uhr	arbeiten.
Am Samstag	kann	ich zu Hause	bleiben.
Was	willst	du am Samstag	machen?
	Position 2		Satzende

Im Aussagesatz und in der W-Frage steht das Modalverb auf Position 2. Der Infinitiv steht am Satzende.

Modalverben in Ja-/Nein-Fragen
K5

Position 1	Position 2		Satzende
Musst	du	jeden Tag	arbeiten?
Kann	ich	zu Hause	bleiben?
Willst	du	am Samstag	kochen?

In der Ja-/Nein-Frage steht das Modalverb auf Position 1, das Subjekt steht auf Position 2. Der Infinitiv steht am Satzende.

trennbare Verben in Aussagesätzen und W-Fragen
K6

		Position 2		Satzende
abholen	Anne	holt	Sofia	ab.
einladen	Wen	laden	Marc und Anne	ein?

Im Aussagesatz und in der W-Frage steht der konjugierte Verbteil auf Position 2. Das Präfix steht am Satzende.

weitere trennbare Verben: an|fangen, an|rufen, an|sehen, auf|hören, auf|passen, auf|stehen, dran|kommen, ein|fallen, ein|kaufen, ein|sammeln, mit|bringen, mit|kommen, mit|machen, vor|stellen, zu|bereiten, zusammen|passen

trennbare Verben in Ja-/Nein-Fragen und in Imperativsätzen
K3, K6

	Position 1	Position 2		Satzende
abholen	Holt	Anne	Sofia	ab?
einladen	Lädst	du	deine Freunde	ein?
nachsprechen	Sprechen	Sie		nach.

In der Ja-/Nein-Frage und im Imperativsatz steht der konjugierte Verbteil auf Position 1, das Subjekt steht auf Position 2. Das Präfix steht am Satzende.

Modalverben und trennbare Verben
K6

		Position 2		Satzende
Aussagesatz	Er	muss	heute	einkaufen.
W-Frage	Wann	kannst	du mich	abholen?

	Position 1	Position 2		Satzende
Ja-/Nein-Frage	Wollen	Sie	zum Ausflug	mitkommen?
	Könnt	Ihr	einen Kuchen	mitbringen?

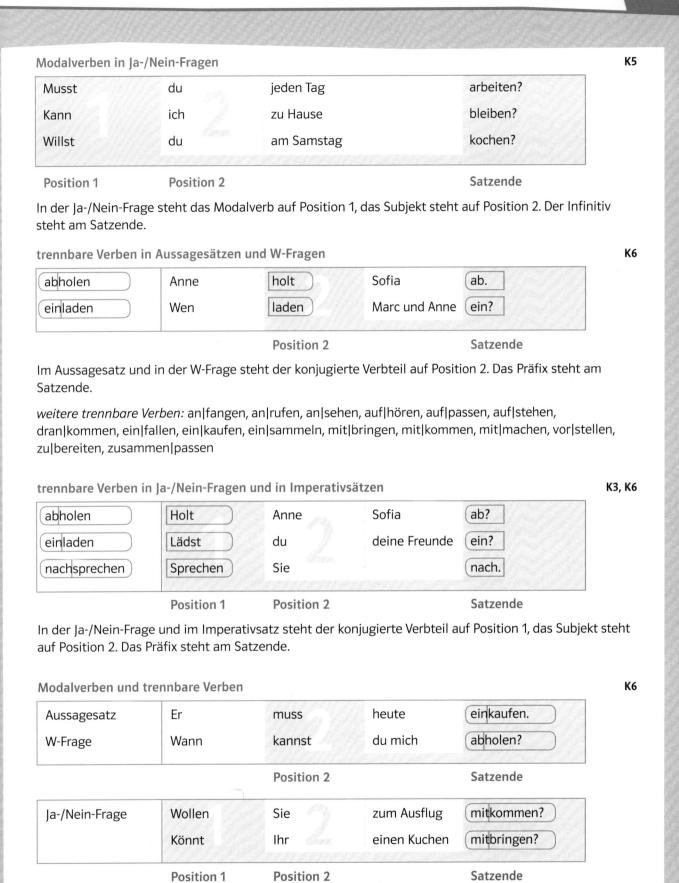

Nomen

bestimmter Artikel   K2

maskulin	**der** Stift
neutrum	**das** Buch
feminin	**die** Tablette
Plural	**die** Stifte, Bücher, Tabletten

Singular und Plural   K2

Endungen	Singular	Plural		ebenso:
(¨)-	der Kuchen	die Kuchen		der Kilometer, der Schlüssel
	der Apfel	die **Ä**pfel		der Vater, der Bruder
-(e)n	die Stunde	die Stund**en**		die Farbe, die Gruppe
	die Person	die Person**en**		die Zahl, die Nachricht
(¨)-e	der Tag	die Tag**e**		der Film, der Kurs
	der Arzt	die **Ä**rzt**e**		die Nacht, der Fluss
(¨)-er	das Bild	die Bild**er**		das Kind, das Ei
	das Buch	die B**ü**ch**er**		das Fahrrad, der Mann
-s	das Auto	die Auto**s**		der Chef, der Test

Artikelwörter

unbestimmter und bestimmter Artikel, Negationsartikel: Bedeutung   K2, K3

	unbestimmter Artikel	bestimmter Artikel	Negationsartikel
	ein, ein, eine	**der, das, die**	**kein, kein, keine**
maskulin	Das ist **ein** Hafen.	Das ist **der** Hafen von Hamburg.	Das ist **kein** Bahnhof.
neutrum	Das ist **ein** Hotel.	**Das** Hotel heißt „Linde".	Das ist **kein** Rathaus.
feminin	Das ist **eine** Brücke.	**Die** Brücke heißt „Alsterbrücke".	Das ist **keine** Straße.
Plural	Das sind – Schiffe.	**Die** Schiffe sind im Hafen.	Das sind **keine** Autos.
	neu / nicht bekannt	**bekannt**	

bestimmter Artikel: Nominativ und Akkusativ   K2, K4

	Nominativ	Akkusativ
maskulin	**Der** Käse ist lecker.	Ich kaufe **den** Käse.
neutrum	**Das** Brot ist gut.	Ich suche **das** Brot.
feminin	Hier ist **die** Gurke.	Ich nehme **die** Gurke.
Plural	**Die** Tomaten schmecken toll.	Ich esse **die** Tomaten.

weitere Verben mit Akkusativ: bestellen, brauchen, essen, haben, kaufen, kochen, machen, möchten, mögen, nehmen, sehen, suchen …

unbestimmter Artikel und Negationsartikel: Nominativ und Akkusativ   K3, K4

	Nominativ	Akkusativ
maskulin	Das ist **ein/kein** Apfel.	Ich kaufe **einen/keinen** Apfel.
neutrum	Da ist **ein/kein** Brot.	Ich möchte **ein/kein** Brot.
feminin	Hier ist **eine/keine** Gurke.	Ich esse **eine/keine** Gurke.
Plural	Das sind **–/keine** Tomaten.	Ich mag **–/keine** Tomaten.

Possessivartikel: Nominativ

K5

	maskulin	neutrum	feminin	Plural
ich	**mein** Sohn	**mein** Kind	**meine** Tochter	**meine** Eltern
du	**dein** Sohn	**dein** Kind	**deine** Tochter	**deine** Eltern
er	**sein** Sohn	**sein** Kind	**seine** Tochter	**seine** Eltern
es	**sein** Sohn	**sein** Kind	**seine** Tochter	**seine** Eltern
sie	**ihr** Sohn	**ihr** Kind	**ihre** Tochter	**ihre** Eltern
wir	**unser** Sohn	**unser** Kind	**unsere** Tochter	**unsere** Eltern
ihr	**euer** Sohn	**euer** Kind	**eure** Tochter	**eure** Eltern
sie	**ihr** Sohn	**ihr** Kind	**ihre** Tochter	**ihre** Eltern
Sie	**Ihr** Sohn	**Ihr** Kind	**Ihre** Tochter	**Ihre** Eltern

Possessivartikel: Nominativ und Akkusativ

K5

		Nominativ		Akkusativ
der	ein/kein	mein Hund	ein**en**/kein**en**	mein**en** Hund
das	ein/kein	mein Kind	ein/kein	mein Kind
die	eine/keine	meine Mutter	eine/keine	meine Mutter
die	–/keine	meine Eltern	–/keine	meine Eltern

Adjektive

Adjektiv mit *sein*

K3

Ich **bin** 21 Jahre **alt**.
Der Turm **ist** 112 Meter **hoch**. Der Hafen **ist groß**.
Der Apfel **ist grün**. Der Fisch **ist frisch**. Obst **ist gesund**.

Pronomen

Personalpronomen: Nominativ und Akkusativ

K1, K2, K6

Singular		Plural	
Nominativ	**Akkusativ**	**Nominativ**	**Akkusativ**
ich	mich	wir	uns
du	dich	ihr	euch
er	ihn	sie	sie
es	es		
sie	sie	Sie	Sie

Nominativ: Wo ist Paul? Da ist **er.**
Akkusativ: Der Salat ist für **ihn.**

Personalpronomen in Texten

K1

 Das ist **Frau Lang. Sie** kommt aus Deutschland. **Sie** wohnt in Frankfurt.

 Das ist **Jan. Er** kommt aus Frankfurt. **Er** wohnt in Zürich.

Präpositionen

für + Akkusativ K6

○ **Für wen** ist das Wasser?
● Das Wasser ist **für ihn** / **für den** Hund.

Zeitangaben mit *am, um, von ... bis* K5

	Wochentage/Tageszeiten	Uhrzeit
Wann?	**am** Montag **am** Vormittag	**um** Viertel vor drei **um** 14:45 Uhr
Wie lange?	**von** Montag **bis** Samstag **von** morgens **bis** abends	**von** neun **bis** halb zwei **von** 9:00 Uhr **bis** 13:30 Uhr

Datumsangabe mit *am* + Ordinalzahl K6

Wann? – **Am** ... November. / **Am** ... Elften.			
	10. zehn**ten**	20. zwanzig**sten**	30. dreißig**sten**
1. **ersten**	11. elf**ten**	21. einundzwanzig**sten**	31. einunddreißig**sten**
2. zwei**ten**	12. zwölf**ten**	22. zweiundzwanzig**sten**	
3. **dritten**	13. dreizehn**ten**	23. dreiundzwanzig**sten**	
4. vier**ten**	14. vierzehn**ten**	24. vierundzwanzig**sten**	
5. fünf**ten**	15. fünfzehn**ten**	25. fünfundzwanzig**sten**	
6. sechs**ten**	16. **sechzehnten**	26. sechsundzwanzig**sten**	
7. **siebten**	17. **siebzehnten**	27. siebenundzwanzig**sten**	
8. **achten**	18. achtzehn**ten**	28. achtundzwanzig**sten**	
9. neun**ten**	19. neunzehn**ten**	29. neunundzwanzig**sten**	

Unregelmäßige Verben

Infinitiv	Präsens
an|fangen	er fängt an
an|sehen	er sieht an
ein|fallen	es fällt ein
ein|laden	er lädt ein
essen	er isst
fahren	er fährt
geben	er gibt
helfen	er hilft
laufen	er läuft
leid|tun	er tut leid
lesen	er liest
mit|lesen	er liest mit
mit|sprechen	er spricht mit
nach|sprechen	er spricht nach
nehmen	er nimmt
raten	er rät
schlafen	er schläft
sehen	er sieht
sprechen	er spricht
treffen	er trifft
waschen	er wäscht

besondere Verben

haben	er hat
sein	er ist
werden	er wird
wissen	er weiß

Modalverben

können	er kann
müssen	er muss
wollen	er will
möchten	er möchte
mögen	er mag

Alphabetische Wortliste

So geht's:

Hier finden Sie alle Wörter aus den Kapiteln 1–6 von „Netzwerk neu" A1.

Die **fett** markierten Wörter sind besonders wichtig. Sie brauchen sie für den Test „Start Deutsch 1".

Diese Wörter müssen Sie also gut lernen.

Ein Strich unter einem Vokal zeigt: Sie müssen den Vokal lang sprechen.

Ein Punkt bedeutet: Der Vokal ist kurz.

Hinter unregelmäßigen Verben finden Sie auch die 3. Person Singular.

Für manche Wörter gibt es auch Beispiele oder Beispielsätze.

In der Liste stehen keine Personennamen und keine Städte.

Abend, der, -e	2/7a
Banane, die, -n	4/1a
achtzehn	1/6a
essen, er isst	4/4
als (*Max Schmidt arbeitet seit zwei Jahren als Koch.*)	4/11

So sieht's aus:

Wort Artikel Plural Aufgabe

Abend, der, -e 2/7a

Wortakzent Kapitel

ab (1) (+ D.) (*Nennen Sie die Zahlen ab 20.*) 2/7b

ab (2) (+ D.) (*Heute ab 16 Uhr bin ich beim Friseur.*) 5/14

Abend, der, -e 2/7a

Abendessen, das, – 4/1a

abends 4/9a

aber (1) (*Ich arbeite viel, aber ich habe zwei Tage frei: Montag und Dienstag.*) 2/7a

aber (2) (*Jetzt aber schnell!*) 3/6b

ab|holen 6/6a

abwechselnd 5/2b

acht 1/6a

achten 2/5a

Achtung (Sg. ohne Artikel) (*Achtung: Sofia weiß nichts!*) 6/6a

achtzehn 1/6a

achtzig 2/k&k

Adjektiv, das, -e 3/k&k

Adresse, die, -n 2/12a

ähnlich 3/9b

Akkusativ, der, -e 4/3d

Aktivität, die, -en 6/15c

Algerien 1/8a

alle (*Notieren Sie alle Zahlen.*) 2/7b

allein 4/9a

alles 4/3b

Alltag, der (Sg.) 5/1a

Alphabet, das, -e 1/7a

als (*Max Schmidt arbeitet seit zwei Jahren als Koch.*) 4/11

also (*Kein Bus, also schnell!*) 3/6b

alt (*Ich bin 22 Jahre alt.*) 2/7a

Altstadt, die, ⸚e 4/11

am (1) (*Kochen wir am Wochenende Spaghetti?*) 2/3b

am (2) (*Max Schmidt ist Koch am Bodensee.*) 4/11

an (1) (+ D.) (*40.000 Filmfans sehen an 10 Tagen über 100 Filme.*) 3/9a

an (2) (+ D.) (*Wir sitzen draußen an Tischen und Bänken.*) 6/14a

andere, anderer 1/1c

an|fangen, er fängt an 6/6a

Angabe, die, -n (*Machen Sie persönliche Angaben.*) 2/12a

an|kreuzen 2/2a

Anmeldung, die, -en 6/15a

Anrede, die, -n (*die Anmeldung zum Marathon*) 6/8

an|rufen 6/6a

an|sehen, er sieht an 2/10a

Antwort, die, -en 1/4a

antworten 2/2b

Anzeige, die, -n 6/15a

Apfel, der, ⸚ 4/2b

Apfelsaft, der, ⸚e 4/1a

Apfelsaftschorle, die, -n 6/10a

April, der (Sg.) 3/10a

Arabisch 1/8a

Arbeit, die, -en 4/9a

arbeiten (1) (*Arbeiten Sie zu zweit.*) 2/2b

arbeiten (2) (*Was arbeitest du?*) 2/3b

Arbeitszeit, die, -en 4/11

Architekt, der, -en 2/9a

Architektin, die, -nen 2/9a

Arm, der, -e 3/5b

Artikel, der, – 2/6a

Artikelbild, das, -er 2/11a

Arzt, der, ⸚e 2/6a

Ärztin, die, -nen 2/6a

asiatisch 1/8a

Assoziation, die, -en 4/10c

Atmosphäre, die (Sg.) 6/15a

auch 1/2a

auf (1) (*„Würstchen" heißt auf Italienisch „wurstel".*) 1/1b

auf (2) (+ A.) (*Achten Sie auf die Satzmelodie.*) 2/5a

auf (3) (+ D.) (*Die Schiffe fahren auf dem Fluss.*) 3/1b

auf Wiederhören 5/13a

auf Wiedersehen 1/3a

auf|hören 6/7a

auf|passen 6/15a

auf|stehen 3/3

auf|stellen 6/4b

August, der (Sg.) 3/10a

aus (+ D.) (*Ich komme aus Deutschland.*) 1/4a

Ausflug, der, ⸚e 6/6a

Aussage, die, -n 5/13a

Aussagesatz, der, ⸚e 1/4b

Ausstellung, die, -en 3/1d

Auto, das, -s 2/6a

Autobahn, die, -en 1/1a

Baby, das, -s 5/8b ÜB

Bäckerei, die, -en 4/2a

Bahnhof, der, -e 3/1b

Ball, der, ⸚e 5/10a

Banane, die, -n 4/1a

Bank, die, ⸚e (*Die Leute sitzen auf der Bank.*) 6/14a

Bar, die, -s 5/15a

Basketball (Sg. ohne Artikel) 2/12b

Bauzeit, die (Sg.) 3/1b

beantworten 4/11

Becher, der, – 4/6d ÜB

Befinden, das (Sg.) 1/k&k

Beginn, der (Sg.) 6/15a

beginnen 6/15a

bei (+ D.) (*Ich arbeite bei „Taxi-Zentral".*) 2/7a

Beisl, das, -/-n 6/14a

Beispiel, das, -e (*zum Beispiel*) 2/10a

Beiz, die, -en 6/14a

bekannt 1/2c

berichten 2/9b

Beruf, der, -e 2/6a

beschreiben 5/8a

besondere, besonderer 6/15a

besonders (*Was ist am Geburtstag besonders?*) 6/4a

Besprechung, die, -en 5/15a

bestellen   6/10a
Bestellung, die, -en   6/10a
bestimmt *(der bestimmte Artikel)*   2/6a
Besuch, der, -e   6/13b
besuchen   5/1a
Besucher, der, –   3/1b
Besucherin, die, -nen   3/1b
Betreff, der, -e   6/6a
bezahlen   6/12a
Bibliothek, die, -en   5/1a
Biergarten, der, ⸚   6/14a
Bild, das, -er   3/6b
bilden *(Bilden Sie drei Gruppen.)*   3/3
Bildgeschichte, die, -n   3/6a
Birne, die, -n   4/3c ÜB
bis (+ D.) *(Bauzeit: bis 2016)*   3/1b
bis bald   1/2a
bis später   4/3a
bis zu   3/1b
bitte   1/7c
blau   2/11a
bleiben   5/7b
Brasilien   1/8a
brauchen   4/3b
breit   3/1b
bringen   6/10b
Brot, das, -e   4/1a
Brötchen, das, –   4/1a
Brücke, die, -n   3/1d
Bruder, der, ⸚   5/8a
Buch, das, ⸚er   2/3a
Buchstabe, der, -n   1/6a
buchstabieren   1/7c
Bulgarisch   1/1a
Büro, das, -s   5/3a
Bus, der, -se   3/6a
Butter, die (Sg.)   4/1a
Butterbrot, das, -e   1/1a
Café, das, -s   2/5b
Cent, der, -s   4/6a
Champignon, der, -s   4/11
Chef, der, -s   4/11
Chefin, die, -nen   4/11
Chor, der, ⸚e   3/9a
ciao   1/2a
circa *(= ca.)*   3/1b
Club, der, -s   2/12a
Co *(Kneipen & Co)*   6/14a
Cola, die/das, -s   4/1a
Computer, der, –   2/6a
cool   5/10b
da   3/1b
da sein   5/15a
Dank, der (Sg.) *(Vielen Dank.)*   3/7c
danke   1/2a
danke schön   6/12b ÜB
dann   1/6a
darauf   1/k&k
das (1) *(das Würstchen)*   1/1a
das (2) *(Das ist Frau Kowalski.)*   1/3a
Datum, das, Daten   6/4a
dein, deine   1/6c
dem *(Die Schiffe fahren auf dem Fluss.)*   3/1b
den   1/4b
denn *(Was denn?)*   6/3a
der (1) *(der Kindergarten)*   1/1a
der (2) *(Sie kommt aus der Schweiz.)*   1/8a
Dessert, das, -s   4/11
Deutsch *(Ich spreche Deutsch.)*   1/1a
deutsch   1/1c
Deutschland   1/4a

deutschsprachig   3/9a
Dezember, der (Sg.)   3/10a
Dialog, der, -e   1/7c
dich   6/10b
die (1) *(die Flasche)*   1/1a
die (2) *(Wie heißen die Personen?)*   1/2a
Dienstag, der, -e   2/4a
diese, dieser   3/9a
Ding, das, -e   3/k&k
dir *(Wie geht's? – Gut, und dir?)*   1/2a
dirigieren   3/9a
Döner, der, –   4/9a
Donnerstag, der, -e   2/4a
doppelt   3/5a
dort   4/6a
Dose, die, -n   4/6d ÜB
Double Feature, das, -s   6/15a
dran|kommen   4/6a
draußen   6/14a
drei   1/6a
dreimal   5/12
dreißig   2/k&k
dreizehn   1/6a
dritt *(Arbeiten Sie zu dritt.)*   2/3c
du   1/2a
durch (+ A.)   2/5b
Durst, der (Sg.)   6/13a
duschen   5/1a
echt (1) *(Das ist dann echt stressig!)*   4/11
echt (2) *(Sofia hat morgen Geburtstag. – Echt?)*   6/3a
Ei, das, -er   4/1a
eigene, eigener   2/11b
ein, eine   1/1c
ein bisschen   1/7c
einfach *(Das ist ganz einfach.)*   3/7c
ein|fallen, es fällt ein   4/10c
einhundert   2/7b
Einkauf, der, ⸚e   4/3c
ein|kaufen   4/2a
Einkaufswagen, der, –   4/6a
Einkaufszettel, der, –   4/3b
ein|laden, er lädt ein   6/3a
Einladung, die, -en   4/3a
Einladungs-Mail, die, -s   6/8
eins   1/6a
ein|sammeln   6/6a
eintausend   2/k&k
Eintrag, der, ⸚e   5/10b
Eintritt, der, -e   6/15a
Eis, das (Sg.)   6/11
Elektriker, der, –   2/9a ÜB
Elektrikerin, die, -nen   2/9a ÜB
elf   1/6a
Eltern, die (Pl.)   5/7b
E-Mail, die, -s   2/12b
E-Mail-Adresse, die, -n   1/7b
Emmentaler, der, –   4/6a
enden   6/15a
Endung, die, -en   2/3b
Englisch   1/1a
Englisch-Test, der, -s   5/7a
entschuldigen *(Bitte entschuldigen Sie.)*   5/15c
Entschuldigung, die, -en *(Entschuldigung, wie heißt du?)*   1/2a
er   1/4c
Ereignis, das, -se   6/k&k
ergänzen   1/4c
erste, erster   3/1b
erzählen   4/9b
Erzieher, der, –   2/9a ÜB

Erzieherin, die, -nen   2/9a ÜB
es   1/3a
Essen, das, –   4/3a
essen, er isst   4/4
Essig, der, -e   4/1a
etwas *(Sonst noch etwas?)*   4/6a
euch   6/10b
euer, eure   5/10b
Euro, der, -s   3/1b
Event, das, -s   3/9a
Extra- *(Morgen ist in Wien ein Extra-Konzert von Mark Forster.)*   6/15a
fahren, er fährt   2/7a
Fahrkarte, die, -n   3/6b
Fahrrad, das, ⸚er   3/6a
Fahrradtour, die, -en   6/3a
falsch   5/7b
Familie, die, -n   5/1a
Familienfoto, das, -s   5/10b
Familienname, der, -n   2/12a
Fantasie, die (Sg.)   5/8b
Farbe, die, -n   2/10a
Februar, der (Sg.)   3/10a
fehlen   6/15a
feiern   6/1a
feminin   2/6a
fertig   4/3a
Fest, das, -e   6/7a
Festival, das, -s   3/9a
Fett, das, -e   4/6d ÜB
Film, der, -e   3/9a
Filmfan, der, -s   3/9a
finden (1) *(Finden Sie Sport interessant?)*   3/9d
finden (2) *(Entschuldigung, wo finde ich Reis?)*   4/6a
Firma, die, Firmen   2/12b
Fisch, der, -e   4/3c ÜB
Fischgericht, das, -e   4/11
Fitness-Studio, das, -s   6/1a
Flasche, die, -n   1/1a
Fleisch, das (Sg.)   4/1a
Flugzeug, das, -e   3/6a ÜB
Fluss, der, ⸚e   3/1b
Form, die, -en   2/3c
formell   1/3b
Formular, das, -e   2/12b
Foto, das, -s   2/3b
fotografieren   2/2a
Frage, die, -n   2/4c
fragen   1/6c
Franken, der, –   6/15a
Frankreich   1/8a ÜB
Französisch   1/8a
Frau (1) *(Guten Morgen, Frau Weber.)*   1/3a
Frau (2), die, -en *(Die Frau trinkt gern Tee.)*   4/8a
frei (1) *(Sammeln Sie freie Assoziationen.)*   4/10c
frei (2) *(Leider ist am Montag kein Termin frei.)*   5/13a
frei|haben, er hat frei   2/7a
Freitag, der, -e   2/4a
Freizeitaktivität, die, -en   6/1a
Freund, der, -e   2/2a
Freundin, die, -nen   2/2a
frisch   4/11
Friseur, der, -e   2/9a
Friseurin, die, -nen   2/9a
früh   6/15a
Frühling, der (Sg.)   3/10a
Frühstück, das, -e   4/1a

frühstücken 4/9a
führen (ein Gespräch führen) 4/k&k
fünf 1/6a
fünfzehn 1/6a
fünfzig 2/k&k
für (+ A.) 2/5a
Fußball (Sg. ohne Artikel) (Er spielt gern Fußball.) 2/3a
Fußballspiel, das, -e 6/15c
Gabel, die, -n 6/11c ÜB
ganz (Wie geht's? – Ganz gut, danke.) 1/2a
Gast, der, ⸚e 3/9a
Gästebuch, das, ⸚er 5/10a
geben (1), es gibt (Es gibt mehrere Möglichkeiten.) 2/6a
geben (2), er gibt (Sie gibt dem Kellner Trinkgeld.) 6/12b
Geburtsdatum, das, -daten 2/12a
Geburtsort, der, -e 2/12a
Geburtstag, der, -e 5/7a
gegenseitig 2/8c
gehen (1) (Wie geht's?) 1/2a
gehen (2) (Gehst du gern ins Kino?) 2/2a
gehen (3) (Hörst du gern Musik? – Es geht so.) 2/2b
gehen (4) (Gehen wir ins Kino? – Nein, das geht leider nicht.) 2/4c
gehen (5) (Meine Kinder gehen in Frankfurt in die Schule.) 5/8a
gehen (6) (Zahlen, bitte. – Gern. Geht das zusammen?) 6/12b ÜB
Geige, die, -n 5/7a
Geigenunterricht, der (Sg.) 5/7a
Geld, das, -er 2/6a
Gemüse, das, – 4/1a
genau (Ja, genau.) 3/7c
genießen 6/15a
geöffnet 6/14a
geradeaus 3/7b
Gericht, das, -e 4/11
gern 2/1
gerne 4/7a
Geschäft, das, -e 4/2c
Geschenk, das, -e 6/6a
Geschwister, die (Pl.) 5/8a ÜB
Gespräch, das, -e 1/7b
gesund 4/9a
Getränk, das, -e 4/3b
getrennt 6/12a
Glas, das, ⸚er 2/6a
glauben (Ich glaube, der Mann klettert.) 6/1a
gleich (Das Essen ist gleich fertig.) 4/3a
gleichfalls 4/7a
Glück, das (Sg.) (So ein Glück!) 3/6b
Gramm, das, – 4/6a
Grammatik, die, -en 1/k&k
Griechenland 1/8a ÜB
grillen 4/3a
Grillparty, die, -s 4/3b
groß 2/7a
Großeltern, die (Pl.) 5/8a ÜB
Großmutter, die, ⸚ 5/8a ÜB
Großvater, der, ⸚ 5/8a ÜB
grüezi 3/2a
grün 2/11a
Gruppe, die, -n 3/3
Gruß, der, ⸚e (Liebe Grüße) 5/11a
grüß Gott 3/2a
grüßen 1/k&k
Gurke, die, -n 4/1a
gut (1) (Guten Tag!) 1/1a

gut (2) (Wie geht es Ihnen? – Danke, sehr gut!) 1/2a
gut (3) (Kommst du? – Also gut …) 4/6a
gut (4) (Entschuldigung! – Schon gut.) 5/15c
gute Nacht 1/3a
guten Abend 1/3a
guten Appetit 4/1a
guten Morgen 1/3a
guten Tag 1/1a
haben (1), er hat (Ich habe pro Woche 24 Stunden Seminare und Kurse.) 2/7a
haben (2), er hat (Ich hätte gern einen Termin.) 5/13a
Hafen, der, ⸚ 3/1b
Hähnchen, das, – 4/3c ÜB
halb (Ich frühstücke um halb acht.) 4/9a
halbe Stunde, die, -n 5/15b
Halbmarathon, der, -s 6/15a
hallo 1/2a
Hamster, der, – 5/10b
Handtuch, das, ⸚er 1/1a
Handwerker, der, – 2/9a ÜB
Handwerkerin, die, -nen 2/9a ÜB
Handynummer, die, -n 1/6b
Haus, das, ⸚er 3/4b
Hausaufgabe, die, -n 5/11a
Hausnummer, die, -n 2/12b
heißen (1) („Würstchen" heißt auf Italienisch „wurstel".) 1/1b
heißen (2) (Ich heiße Niklas.) 1/2a
helfen, er hilft 4/11
Herbst, der (Sg.) 3/10a
Herr (Guten Tag, Herr Hansen.) 1/3a
herzlich (Herzliche Grüße) 6/8
heute 3/6b
hey 5/10b
hi 6/3a
hier 2/7a
Hobby, das, -s 2/3d
hoch 3/1b
hoffentlich 6/6a
höflich 5/14
Höflichkeit, die (Sg.) 5/14
Homepage, die, -s 5/10a
hören 1/2a
Hotel, das, -s 3/2a
Hund, der, -e 5/10a
hundert 2/7b
Hunger, der (Sg.) 6/13a
ich 1/2a
Idee, die, -n 5/12
ihn 6/10b
Ihnen (Wie geht es Ihnen?) 1/3a
Ihr, Ihre (Wie heißen die Wörter in Ihrer Sprache?) 1/1b
ihr (1) (Joggt ihr morgen auch?) 2/3b
ihr (2), ihre (Die Stadthalle zeigt ihre Produktionen.) 3/9a
immer 2/8b
Imperativ, der, -e 3/7c
in (1) (+ D.) (Wie heißen die Wörter in Ihrer Sprache?) 1/1b
in (2) (+ D.) (Ich wohne in Frankfurt.) 1/4a
in (3) (+ D.) (Der Zug fährt in 8 Stunden nach Warschau.) 3/1b
Indonesisch 1/1a
Infinitiv, der, -e 2/3c
Informatiker, der, – 2/9a
Informatikerin, die, -nen 2/9a
Information, die, -en 2/7c
informell 1/3b

Ingenieur, der, -e 2/9a
Ingenieurin, die, -nen 2/9a
inoffiziell 5/5a
interessant 3/2b
international 1/1a
Interview, das, -s 1/4b
Italien 1/8a ÜB
Italienisch 1/1a
ja (1) (Liest du gern? – Ja, sehr gern.) 2/2b
ja (2) (Wir können ja morgen telefonieren, okay?) 5/11c
Ja-/Nein-Frage, die, -n 2/5b
Jahr (1), das, -e (Ich fahre 68.000 Kilometer pro Jahr.) 2/7a
Jahr (2), das, -e (Ich bin 22 Jahre alt.) 2/7a
Jahreszeit, die, -en 3/10b
Januar, der (Sg.) 3/10a
Japan 1/8a
Japanisch 1/1a
jede, jeder 2/5b
jetzt 3/6b
joggen 2/2a
Joghurt, der/das, -s 4/1a
Journalist, der, -en 2/9a ÜB
Journalistin, die, -nen 2/9a ÜB
Juli, der (Sg.) 3/10a
Junge, der, -n 5/8b ÜB
Juni, der (Sg.) 3/10a
Jurist, der, -en 2/9a ÜB
Juristin, die, -nen 2/9a ÜB
Kaffee, der, -s 4/1a
Kaffeehaus, das, ⸚er 6/14a
Kalender, der, – 5/7a
kalt 6/13b
Kantine, die, -n 4/9a
Kapitel, das, – 2/6c
Karate 2/12b
Karte (1), die, -n (Schreiben Sie fünf Karten mit Nomen.) 5/10c
Karte (2), die, -n (Die Karten für das Konzert kosten 49 €.) 6/15a
Kartoffel, die, -n 4/1a
Käse, der (Sg.) 4/1a
Kassenzettel, der, – 4/6a
kaufen 4/2c
kein, keine 2/12b
Keks, der/das, -e 4/1a
Kellner, der, – 2/6a
Kellnerin, die, -nen 2/6a
kennen 1/1c
Kilo, das, -s (= kg) 4/6d ÜB
Kilogramm, das, - (= kg) 4/6d ÜB
Kilometer, der, - (= km) 2/7a
Kind, das, -er 5/7b
Kindergarten, der, ⸚ 1/1a
Kino, das, -s 2/2a
Kirche, die, -n 3/1b
klar (Kommst du heute? – Klar.) 6/3a
klein 4/11
klettern 6/1a
klingen (Machen wir eine Fahrradtour? – Klingt gut.) 6/3a
klopfen 3/5b
Kneipe, die, -n 6/14a
Koch, der, ⸚e 2/9a ÜB
kochen 2/2a
Köchin, die, -nen 2/9a ÜB
Koffer, der, – 1/1a
Kollege, der, -n 2/2a
Kollegin, die, -nen 2/2a
kommen 1/4a

Kommentar, der, -e   2/3b
können, er kạnn   5/11a
Konsonạnt, der, -en   3/5a
Konzẹrt, das, -e   3/1b
Konzẹrtbeginn, der (Sg.)   6/15a
Konzẹrthaus, das, ¨er   3/1b
Konzẹrtkarte, die, -n   3/6c
Kọsten, die (Pl.)   3/1b
kọsten   4/6a
krạnk   5/7b
Krạnke, der/die, -n   1/1a
Krạnkenhaus, das, ¨er   2/7a
Krạnkenpfleger, der, –   2/7a
Krạnkenpflegerin, die, -nen   2/7a
kreativ   4/11
krẹisen   3/5b
Kụchen, der, –   4/1a
Kultụr-Nacht, die, ¨e   6/15a
Kụnde, der, -n   5/14
Kụndin, die, -nen   5/14
Kụnsthalle, die, -n   3/2b
Kụrs, der, -e   2/6c
Kụrsplakat, das, -e   1/1c
Kụrsraum, der, ¨e   2/5b
kụrz (1) *(Schreiben Sie einen kurzen Text.)*   1/8e
kụrz (2) *(Es ist kurz nach acht.)*   5/5a
Lạnd, das, ¨er   1/8a
lạng   3/1d
lạnge   5/2a
länger   4/11
lạngsam   1/7c
laufen, er läuft   6/15a
laut   1/6a
Lebensmittel, das, –   4/1a
lẹcker   4/7a
ledig   5/8a
Lehrer, der, –   2/9a
Lehrerin, die, -nen   2/9a
leider   2/4c
leid|tun, er tut leid *(Tut mir leid.)*   5/12
lẹrnen *(Sie lernt Spanisch.)*   1/8a
Lẹrnkarte, die, -n   2/8c
Lẹrnwortschatz, der, ¨e   2/6c
lesen, er liest   1/2a
Leute, die (Pl.)   2/1
lieb *(Liebe Grüße)*   5/11a
lieben   2/3a
Limonạde, die, -n   4/6b
lịnks   3/7a
Lịter, der, –   4/6d ÜB
Lọ̈ffel, der, –   6/11c ÜB
Lokạl, das, -e   6/14a
lọs sein, er ist lọs *(Was ist los?)*   6/15a
Lösung, die, -en   3/2b
Lụst, die (Sg.) *(Kommst du mit? – Nein, ich habe keine Lust.)*   6/15c
lụstig   2/3b
mạchen (1) *(Machen Sie ein Kursplakat.)*   1/1c
mạchen (2) *(Zahlen, bitte. – Gern. Das macht 12 Euro, bitte.)*   4/6a
mạchen (3) *(Entschuldigung! – Macht nichts.)*   5/15c
Mạ̈dchen, das, –   5/8b ÜB
Mạhlzeit, die, -en *(Guten Appetit! – Mahlzeit!)*   4/7b
Mai, der (Sg.)   3/10a
Mail, die, -s   6/8
Mal, das, -e *(Würfeln Sie drei Mal.)*   3/8
mạn   1/7b
mạnchmal   4/9a
Mạnn (1), der, ¨er *(Der Mann möchte ein Brötchen.)*   4/8a

Mạnn (2), der, ¨er *(Mein Mann und ich frühstücken zusammen.)*   4/9a
männlich   2/12b
Marathon, der, -s   6/15a
markieren   2/6b
Mạrkt, der, ¨e   3/8
Marmelạde, die, -n   4/1a
Mạ̈rz, der (Sg.)   3/10a
mạskulin   2/6a
Maß, das, -e   4/6d ÜB
Mạthe-Test, der, -s   5/7a
Maus, die, ¨e   5/10b
Mechạniker, der, –   2/9a ÜB
Mechạnikerin, die, -nen   2/9a ÜB
Medikamẹnt, das, -e   2/6a
Meer, das, -e   3/1b
mehr *(Wir haben keinen Käse mehr.)*   4/3b
mẹhrere   2/6a
mein, meine   1/3a
meistens   2/7a
Mẹnsa, die, Mẹnsen   5/1a
Mẹnsch, der, -en   3/1b
mẹrken   2/11a
Mẹsser, das, –   6/11c ÜB
Meter, der, –   3/1b
Methode, die, -n   4/10c
Metzgerei, die, -en   4/2a
Mẹxiko   1/8a ÜB
mịch   6/10b
Mịlch, die (Sg.)   4/1a
Milliạrde, die, -n   2/k&k
Milliọn, die, -en   2/k&k
Mịndmap, die, -s   4/10a
minus   1/7b
Minute, die, -n   5/15a
mir *(Tut mir leid.)*   5/12
mịt (+ D.)   2/3d
mịt|bringen   6/6a
mịt|kommen   6/6a
mịt|lesen, er liest mịt   1/7a
mịt|machen   6/6a
mịt|sprechen, er spricht mịt   1/6a
Mịttag, der, -e   4/9a
Mịttagessen, das, –   4/1a
mịttags   4/9a
Mịtte, die (Sg.)   3/1b
Mịttwoch, der, -e   2/4a
möchten, er möchte   4/9a
Modạlverb, das, -en   5/11a
mögen, er mag   4/9a
Möglichkeit, die, -en   2/6a
moin   3/2a
Momẹnt, der, -e *(Im Moment lese ich ein Buch von Daniel Kehlmann.)*   2/3b
Monat, der, -e   3/10a
Montag, der, -e   2/4a
morgen   2/3b
Morgen, der, –   4/9a
morgens   4/9a
Motọrrad, das, ¨er   5/10a
Museum, das, Museen   2/5b
Museumsnacht, die, ¨e   6/15a
Musik, die (Sg.)   2/2a
Musikschule, die, -n   5/7b
Müsli, das, -s   4/1a
müssen, er mụss   5/11a
Mụtter, die, ¨   5/7a
Mụttersprache, die, -n   4/1b
nach (1) (+ D.) *(Fragen Sie nach der Telefonnummer.)*   1/6c
nach (2) (+ D.) *(Der Zug fährt nach Warschau.)*   3/1b

nach (3) (+ D.) *(Es ist zwanzig nach sieben.)*   5/5a
Nachmittag, der, -e   2/7a
nachmittags   4/9a
Nachname, der, -n   1/3b
Nachricht, die, -en *(Sie schreibt Paul eine Nachricht.)*   4/3a
nach|sprechen, er spricht nạch   2/4c
nächste, nächster   5/11a
Nạcht, die, ¨e   6/15a
nạchts   2/7a
Name, der, -n   1/2c
Natur, die (Sg.)   6/15a
natürlich (1) *(Das ist natürlich nicht so schön.)*   4/11
natürlich (2) *(Ein Wasser, bitte. – Natürlich. Ich bringe es gleich.)*   6/10b
Negatiọnsartikel, der, –   3/6c
nẹhmen, er nịmmt *(Ich nehme drei Brötchen, bitte.)*   4/6a
nein   2/2b
nẹnnen   2/3c
nẹtt   4/11
neu   2/12a
neun   1/6a
neunzehn   1/6a
neunzig   2/k&k
neutrum   2/6a
nịcht   1/7c
nịchts   4/9a
noch *(Kennen Sie noch andere Berufe?)*   2/9a
noch einmal   1/7c
noch mal *(Wie war noch mal Ihr Name, bitte?)*   5/13a
Nomen, das, –   2/6b
Nominativ, der, -e   4/3d
normalerweise   4/11
notieren   1/5a
Notiz, die, -en   2/9b
November, der (Sg.)   3/10a
Nudel, die, -n   1/1a
nụll   1/6a
nummerieren   5/1b
nur   4/9a
Obst, das (Sg.)   4/9a
oder *(Julia oder Niklas)*   1/2c
ọffen   5/14
offiziẹll   5/5a
oft   2/5a
okay   3/2b
Oktober, der (Sg.)   3/10a
Ọ̈l, das, -e   4/1a
Olive, die, -n   4/3c ÜB
Oma, die, -s   5/1a
Ọnkel, der, –   5/7a
Opa, der, -s   5/8a ÜB
Open-Air-Kino, das, -s   6/15a
Orạngensaft, der, ¨e   4/1a
Orchẹster, das, –   3/9a
Ordinạlzahl, die, -en   6/4a
ọrdnen *(Ordnen Sie den Dialog.)*   6/12a
Ọrt, der, -e   3/1d
Ọ̈sterreich   1/8a
Paar, das, -e   4/10b
Pạckung, die, -en   4/6d ÜB
Pantomime, die (Sg.)   6/2b
Pạrk, der, -s   3/8
Pạrtner, der, –   1/5b
Pạrtnerin, die, -nen   1/5b
Pạrty, die, -s   5/11c
pạssen *(Welches Foto passt zum Text?)*   2/6a

passend   3/3
passieren   6/9
Patient, der, -en   2/7a
Patientin, die, -nen   2/7a
Person, die, -en   1/2a
Personalpronomen, das, –   1/3b
persönlich   2/12a
Pfeffer, der, –   4/1a
Picknick, das, -s   6/3a
Pizza, die, -s/Pizzen   4/9a
Plakat, das, -e   3/10d
Plan, der, ⸚e   3/2b
planen   4/3b
Platz, der (Sg.) *(Wir haben Platz für 1.250 Patienten.)*   2/7a
Plural, der, -e   2/6a
Pluralendung, die, -en   2/8b
Pluralform, die, -en   2/8a
plus   5/10c
Polen   1/8b
Polizist, der, -en   2/9a ÜB
Polizistin, die, -nen   2/9a ÜB
Polnisch   1/8b
Pommes, die (Pl.)   6/11
Pommes frites, die (Pl.)   4/3c ÜB
Portugal   1/8a ÜB
Portugiesisch   1/8a
Position, die, -en   3/k&k
Possessivartikel, der, –   5/8a
Postleitzahl, die, -en   2/12b
Präposition, die, -en   6/k&k
präsentieren   2/7d
Präteritum, das, Präterita   6/13b
Praxis, die, Praxen *(Mara ruft in der Praxis von Dr. Steinig an.)*   5/13a
Preis, der, -e   4/6a
pro   2/7a
probieren   4/11
Problem, das, -e   5/11a
Produktion, die, -en   3/9a
Programm, das, -e   6/15a
Pronomen, das, –   5/10c
prost   4/7b
Publikum, das (Sg.)   3/9a
Punkt, der, -e *(der Punkt am Satzende)*   1/7b
pünktlich   5/15c
Pünktlichkeit, die (Sg.)   5/15a
Ratebild, das, -er   6/2b
raten, er rät   1/5b
Rathaus, das, ⸚er   3/1b
Rätoromanisch   1/8b
reagieren   1/k&k
recherchieren   4/6c
Rechnung, die, -en   2/6a
rechts   3/2b
Redemittel, das, –   1/k&k
Regel, die, -n   5/9
Regen, der, –   6/6a
Regisseur, der, -e   3/9a
Regisseurin, die, -nen   3/9a
Reis, der (Sg.)   4/3c ÜB
Reiseführer, der, – *(Ich arbeite als Reiseführer.)*   1/4a
Reiseführerin, die, -nen   1/4a
reisen   2/2a
Requiem, das, -s   3/9a
Restaurant, das, -s   2/5b
richtig *(Ist der Satz richtig oder falsch?)*   3/2b
Rollenkarte, die, -n   5/14
rot   2/11a
rund um *(Berufe rund ums Essen)*   4/11

Russisch   1/1a
Russland   1/8b
Saft, der, ⸚e *(Ich trinke gerne Saft.)*   4/5a
sagen   1/7b
Sahne, die (Sg.)   4/1a
Salami, die, -s   6/11
Salat, der, -e   4/1a
Salz, das, -e   4/1a
sammeln   1/1c
Samstag, der, -e   2/4a
Sandwich, der/das, -s   6/14a
satt   4/7a
Satz, der, ⸚e   3/4c
Satzende, das, -n   5/k&k
Satzklammer, die, -n   5/k&k
Satzmelodie, die, -n   2/4c
Saxofon, das, -e   5/10b
S-Bahn, die, -en   3/6a ÜB
schade   5/12
schälen   4/11
Schauspieler, der, –   3/9a
Schauspielerin, die, -nen   3/9a
schenken   6/3a
schicken   6/6a
Schiff, das, -e   3/1b
Schinken, der, –   4/1a
schlafen, er schläft   4/9a
Schlüssel, der, –   2/6a
schmecken   4/3c ÜB
schneiden *(Er schneidet das Gemüse.)*   4/11
schnell   3/6b
Schnitzel, das, –   6/11
Schokolade, die, -n   4/1a
schon *(Da ist auch schon das Hotel.)*   3/2b
schön   3/2b
schreiben   1/7b
Schule, die, -n   2/12b
Schweiz, die (Sg.) *(Sie kommt aus der Schweiz.)*   1/8a
Schwester, die, -n   5/8a
Schwimmbad, das, ⸚er   2/5b
schwimmen   2/2a
sechs   1/6a
sechzehn   1/6a
sechzig   2/k&k
See, der, -n   3/2b
sehen, er sieht   3/1b
sehr *(Wie geht's? – Danke, sehr gut.)*   1/2a
sein (1), er ist *(Hallo, ich bin Julia.)*   1/2a
sein (2), seine *(Der Regisseur präsentiert seinen Film.)*   3/9a
seit (+ D.)   4/11
Seite, die, -n   2/6c
Sekunde, die, -n   5/15b
selbst   6/14a
Selbstbedienung, die (Sg.)   6/14a
Seminar, das, -e   2/7a
Sensation, die, -en   2/3a
September, der (Sg.)   3/10a
Serbisch   1/1a
Serviette, die, -n   6/11c ÜB
Sie *(Ordnen Sie zu.)*   1/1a
sie (1) *(Sie kommt aus Deutschland.)*   1/4c
sie (2) *(Kennst du die Personen? Wo wohnen sie?)*   1/8a
sie (3) *(Wo ist Hanna? Das Schnitzel ist für sie.)*   6/10b
sieben   1/6a
siebzehn   1/6a
siebzig   2/k&k
singen   2/2a

Singular, der, -e   2/8a
Situation, die, -en   1/2b
sitzen   5/15a
Ski, der, –   6/1a
so (1) *(Schwimmst du gern? – Nein, nicht so gern.)*   2/2b
so (2) *(Singst du gern? – Es geht so.)*   2/2b
so (3) *(So sagt man auf Deutsch: …)*   3/2a
Sohn, der, ⸚e   5/7b
Solist, der, -en   3/9a
Solistin, die, -nen   3/9a
Sommer, der, –   3/10a
Sonne, die (Sg.)   6/14a
Sonntag, der, -e   2/4a
Sonntagnachmittag, der, -e   5/11a
sonst   4/6a
Spaghetti, die (Pl.)   2/3b
Spanien   1/8b
Spanisch   1/1b
Spaß, der (Sg.) *(Kochen macht Spaß.)*   4/11
spät   5/5a
Speisekarte, die, -n   6/11
Spiel, das, -e *(Florian hat am Sonntag ein Spiel.)*   5/7a
spielen   1/2b
Spielplatz, der, ⸚e   6/14a
Sport, der (Sg.)   5/10a
Sportclub, der, -s   2/12b
Sprache, die, -n   1/1b
Sprachkurs, der, -e   5/12
Sprachschule, die, -n   5/14
sprechen, er spricht   1/4a
Spritze, die, -n   2/6a
Stadion, das, Stadien   2/5b
Stadt, die, ⸚e   1/8e
Stadttour, die, -en   3/1a
Stapel, der, –   5/10c
Star, der, -s   3/1b
Start, der, -s   3/8
Station, die, -en   3/1a
stehen *(Wo steht die Frau?)*   2/10a
stellen *(eine Frage stellen)*   3/k&k
Stift, der, -e   2/6a
stimmen (1) *(Oliven sind oft teuer. – Ja, stimmt.)*   4/3b
stimmen (2) *(Das macht 13,80 €. – Hier sind 15 €. Stimmt so.)*   6/12a
Strandbar, die, -s   6/14a
Straße, die, -n   2/6a
Straßenbahn, die, -en   3/6a ÜB
Stress, der (Sg.)   5/11a
stressig   4/11
Stück, das, -e/–   4/6a
Student, der, -en   2/6a
Studentin, die, -nen   2/6a
studieren   2/9b
Stunde, die, -n   2/7a
Subjekt, das, -e   1/k&k
suchen   2/6c
super   2/3a
Supermarkt, der, ⸚e   4/2a
Suppe, die, -n   4/1a
Sushi, das, -s   4/9a
süß (1) *(Schokolade schmeckt süß.)*   4/3c ÜB
süß (2) *(Euer Hund ist so süß.)*   5/10b
Symbol, das, -e   3/1b
Tabelle, die, -n   1/8a
Tablette, die, -n   2/6a
Tag, der, -e   2/5b
Tageszeit, die, -en   5/k&k
tanzen   2/2a

Tasse, die, -n 6/11c ÜB
tauschen 2/8c
tausend 2/k&k
Taxi, das, -s 2/11a
Taxifahrer, der, – 2/6a
Taxifahrerin, die, -nen 2/6a
Taxifahrt, die, -en 3/2a
Team, das, -s 4/11
Techniker, der, – 5/8a
Technikerin, die, -nen 5/8a
Tee, der, -s 4/1a
Teil, der, -e 6/10b
Telefon, das, -e 1/4a
Telefongespräch, das, -e 5/14
telefonieren 5/7b
Telefonnummer, die, -n 1/6c
Teller, der, – 6/11c ÜB
Tennis (Sg. ohne Artikel) 2/12b
Termin, der, -e 2/5b
Test, der, -s 3/6b
teuer 4/3b
Text, der, -e 1/8e
Thailand 1/8a ÜB
Theater, das, – 2/5b
Theater-Festival, das, -s 3/9a
Thema, das, Themen 4/10b
thematisch 4/10c
Ticket, das, -s 3/9a
Tisch, der, -e 3/5b
Tochter, die, ⸚ 5/7b
toll 2/3a
Tomate, die, -n 4/1a
Tomatensuppe, die, -n 6/11
Tour, die, -en 5/10b
Training, das, -s 5/7a
treffen, er trifft 5/1a
Treffpunkt, der, -e 6/6a
trennbar (trennbare Verben) 6/6c
trinken 4/8a
Trinkgeld, das, -er 6/12b
Trompete, die, -n 5/7a
Trompetenunterricht, der (Sg.) 5/7b
tschüs 1/2a
tun (Was kann ich für Sie tun?) 5/13a
Türkei, die (Sg.) 1/8b
Türkisch 1/1a
Turm, der, ⸚e 3/1b
Tüte, die, -n 4/6a
typisch 6/14a
U-Bahn, die, -en 3/6a
über (1) (+ A.) (über andere sprechen) 1/k&k
über (2) (Der Turm ist über 120 Jahre alt.) 3/1b
über (3) (+ A.) (Sammeln Sie Informationen über Ihre Stadt.) 3/1d
überall 6/14a
überlegen 5/14
Überraschung, die, -en 6/3a
Überraschungstag, der, -e 6/6a
Übungsbuch, das, ⸚er 2/6c
Uhr (1) (Ich arbeite von 6 bis 15 Uhr.) 4/11
Uhr (2) (Wie viel Uhr ist es?) 5/5a
Uhrzeit, die, -en 5/4a
Ukraine, die (Sg.) 1/8b
um (1) (Abends um sieben essen wir alle zusammen.) 4/9a
um (2) (+ A.) (Ich bitte um Entschuldigung.) 5/15c
Umlaut, der, -e 4/5a
unbestimmt (der unbestimmte Artikel) 3/4a
und 1/1c
Ungarisch 1/1a
unhöflich 5/14

Uni, die, -s 5/1a
Universität, die, -en 2/7a
unregelmäßig (unregelmäßige Verben) 4/k&k
uns (Wir grillen heute Abend bei uns.) 4/3a
unser, unsere 5/10a
unterstreichen 2/7b
Unterstrich, der, -e 1/7b
USA, die (Pl.) (Olivia kommt aus den USA.) 1/8a
variieren 1/4b
Vater, der, ⸚ 5/7b
verabreden 2/k&k
Verabredung, die, -en 2/5b
verabschieden 1/k&k
Verb, das, -en 1/3b
verbinden (Verbinden Sie Nomen und Artikel.) 4/1a
verboten 6/9
vereinbaren 5/14
vergleichen 2/6c
verheiratet 5/8a
Verkäufer, der, – 2/9a
Verkäuferin, die, -nen 2/9a
Verpackung, die, -en 4/6d ÜB
verschieden 5/12
Verspätung, die, -en 5/15b
verstehen (Das verstehe ich nicht.) 1/7c
Verwandte, der/die, -n 5/8a ÜB
viel, viele 2/7a
vielleicht 4/3a
vier 1/6a
Viertel, das, – (Es ist Viertel nach sechs.) 5/5a
vierzehn 1/6a
vierzig 2/k&k
Vokal, der, -e 3/5a
voll (Die Kneipe ist am Abend voll.) 6/14a
von (1) (+ D.) (Ich lese ein Buch von Daniel Kehlmann.) 2/3b
von (2) (+ D.) (Was sind Sie von Beruf?) 2/7c
von … bis (Ich arbeite von 6 bis 15 Uhr.) 2/7a
vor (1) (+ D.) (Vor dem Nomen steht der Artikel.) 3/5a
vor (2) (+ D.) (Es ist fünf vor zwei.) 5/4b
vor|bereiten 5/14
vorher 5/14
Vorliebe, die, -n 4/k&k
Vormittag, der, -e 4/9c
vormittags 4/9a
Vorname, der, -n 1/3b
vor|stellen (Stellen Sie Ihren Partner im Kurs vor.) 1/5b
wach 4/9a
wählen 2/12b
wandern 6/1a
wann 2/4a
warm 6/13b
warten 2/7a
warum 6/15c
was (Was ist das?) 1/1a
waschen, er wäscht 4/11
Wasser, das, – 4/1a
wechseln 4/6a
Weg, der, -e 3/2a
Wegbeschreibung, die, -en 3/7a
weiblich 2/12b
weitere, weiterer 2/6c
welche, welcher 1/4a
Welt, die, -en 3/9a
wen 6/3a
wenig 4/9a
wer (Wer bist du?) 1/2a

werden, er wird (Sofia wird am Samstag 30.) 6/3a
Wetter, das, – 6/14a
W-Frage, die, -n 1/4b
wichtig 4/11
wie (1) (Wie heißen die Wörter in Ihrer Sprache?) 1/1b
wie (2) (Machen Sie ein Interview wie in Aufgabe 4.) 1/5a
wie lange 5/7a
wie viel, wie viele 4/6a
wieder 6/13a
willkommen 5/10a
Winter, der, – 3/10a
wir 2/3a
wirklich (Spielen Sie wirklich Fußball?) 2/3b
wissen, er weiß (Achtung: Sofia weiß nichts!) 6/6a
wo (Wo wohnen Sie?) 1/4a
Woche, die, -n 2/7a
Wochenende, das, -n 2/3b
Wochentag, der, -e 2/4b
woher (Woher kommst du?) 1/4a
wohnen 1/4a
Wohnort, der, -e 2/12b
wollen, er will 5/11a
Wort, das, ⸚er 1/1b
Wortende, das, -n 5/9
Wörterbuch, das, ⸚er 2/10a
Wortgruppe, die, -n 4/10c
würfeln 3/8
Wurst, die, ⸚e 4/1a
Würstchen, das, – 1/1a
Würstel, das, – 1/1a
W-Wort, das, ⸚er 1/k&k
Yoga (Sg. ohne Artikel) 2/12b
Zahl, die, -en 1/6a
zahlen 6/12a
zehn 1/6a
zeichnen 3/2b
Zeichnung, die, -en 2/11a
zeigen (Zeigen Sie auf das Bild.) 3/6a
Zeit, die, -en (Wir haben morgen keine Zeit.) 4/3a
Zeitangabe, die, -n 5/15b
Zeitung, die, -en 5/2a
ziehen (Ziehen Sie eine Karte.) 5/10c
Ziel, das, -e 3/8
Zimmer, das, – 2/7a
zu (1) (Arbeiten Sie zu zweit.) 1/8c
zu (2) (+ D.) (Was passt zu den Berufen?) 2/6a
zu (3) (Er kommt zu spät.) 5/15a
zu Fuß (Pia geht zu Fuß.) 3/6a
zu Hause 5/7b
zu Mittag essen, er isst zu Mittag 5/2a
zu|bereiten 4/11
Zucker, der (Sg.) 4/1a
zuerst 1/7a
Zug, der, ⸚e 3/1b
zum Wohl 4/7b
Zumba (Sg. ohne Artikel) 2/12b
zu|ordnen 1/1a
zurück 4/11
zusammen 4/4
zusammen|gehören 1/1a
zusammen|passen 2/12a
zwanzig 1/6a
zwei 1/5a
zweit (Arbeiten Sie zu zweit.) 1/8c
Zwiebel, die, -n 4/11
zwölf 1/6a

Thematische Wortgruppen

Länder

Algerien	der Iran	die Niederlande	Syrien
Brasilien	Italien	Österreich	Thailand
China	Japan	Polen	Tunesien
Dänemark	der Jemen	Portugal	die Türkei
Deutschland	Kanada	Russland	die Ukraine
Frankreich	der Libanon	die Schweiz	Ungarn
Griechenland	Mexiko	die Slowakei	die USA
der Irak	Neuseeland	Spanien	

Sprachen

Arabisch	Indonesisch	Portugiesisch	Thai
Bulgarisch	Italienisch	Rätoromanisch	Türkisch
Deutsch	Japanisch	Russisch	Ungarisch
Englisch	Maori	Serbisch	
Französisch	Polnisch	Spanisch	

Zahlen

0 null	13 dreizehn	25 fünfundzwanzig	100 (ein)hundert
1 eins	14 vierzehn	26 sechsundzwanzig	200 zweihundert
2 zwei	15 fünfzehn	27 siebenundzwanzig	1.000 (ein)tausend
3 drei	16 sechzehn	28 achtundzwanzig	3.000 dreitausend
4 vier	17 siebzehn	29 neunundzwanzig	10.000 zehntausend
5 fünf	18 achtzehn	30 dreißig	100.000 (ein)hunderttausend
6 sechs	19 neunzehn	40 vierzig	200.000 zweihunderttausend
7 sieben	20 zwanzig	50 fünfzig	1.000.000 eine Million
8 acht	21 einundzwanzig	60 sechzig	1.000.000.000 eine Milliarde
9 neun	22 zweiundzwanzig	70 siebzig	
10 zehn	23 dreiundzwanzig	80 achtzig	
11 elf	24 vierundzwanzig	90 neunzig	
12 zwölf			

Monate	Jahreszeiten	Zeitangaben	Tageszeiten	
der Januar	der Frühling	das Jahr, -e	der Morgen, –	morgens
der Februar	der Sommer	der Monat, -e	der Vormittag, -e	vormittags
der März	der Herbst	die Woche, -n	der Mittag, -e	mittags
der April	der Winter	das Wochenende, -n	der Nachmittag, -e	nachmittags
der Mai		der Tag, -e	der Abend, -e	abends
der Juni	**Wochentage**	die Stunde, -n	die Nacht, ¨e	nachts
der Juli	Montag	eine halbe Stunde		
der August	Dienstag	die Minute, -n		
der September	Mittwoch	die Sekunde, -n		
der Oktober	Donnerstag			
der November	Freitag			
der Dezember	Samstag			
	Sonntag			

Familie

der/die Verwandte, -n
die Mutter, ¨
der Vater, ¨
die Eltern (Pl.)
der Sohn, ¨e
die Tochter, ¨
der Bruder, ¨
die Schwester, -n
die Geschwister (Pl.)

die Großmutter, ¨
die Oma, -s
der Großvater, ¨
der Opa, -s
die Großeltern (Pl.)

das Baby, -s
das Kind, -er
der Junge, -n
das Mädchen, –
der Mann, ¨er
die Frau, -en

Berufe

der Architekt, -en
der Arzt, ¨e
der Elektriker, –
der Erzieher, –
der Friseur, -e
der Handwerker, –
der Informatiker, –
der Ingenieur, -e
der Journalist, -en
der Jurist, -en
der Kellner, –

die Architektin, -nen
die Ärztin, -nen
die Elektrikerin, -nen
die Erzieherin, -nen
die Friseurin, -nen
die Handwerkerin, -nen
die Informatikerin, -nen
die Ingenieurin, -nen
die Journalistin, -nen
die Juristin, -nen
die Kellnerin, -nen

der Koch, ¨e
der Lehrer, –
der Mechaniker, –
der Polizist, -en
der Regisseur, -e
der Reiseführer, –
der Schauspieler, –
der Student, -en
der Taxifahrer, –
der Techniker, –
der Verkäufer, –

die Köchin, -nen
die Lehrerin, -nen
die Mechanikerin, -nen
die Polizistin, -nen
die Regisseurin, -nen
die Reiseführerin, -nen
die Schauspielerin, -nen
die Studentin, -nen
die Taxifahrerin, -nen
die Technikerin, -nen
die Verkäuferin, -nen

Verkehrsmittel

der Bus, -se
das Fahrrad, ¨er
das Flugzeug, -e
die S-Bahn, -en
das Schiff, -e
die Straßenbahn, -en
die U-Bahn, -en
der Zug, ¨e
zu Fuß gehen

Orte in der Stadt

die Kirche, -n
der Turm, ¨e
das Hotel, -s
die Brücke, -n
der Park, -s
der Markt, ¨e
der Bahnhof, ¨e
der Hafen, ¨
das Rathaus, ¨er
das Konzerthaus, ¨er
das Museum, Museen

die Kunsthalle, -n
das Haus, ¨er
das Café, -s
das Restaurant, -s
das Kino, -s
das Theater, –
das Schwimmbad, ¨er
das Stadion, Stadien
die Schule, -n
die Universität, -en / die Uni, -s

Adjektive

Gegensätze		**positiv**	**negativ**	**weitere Adjektive**	
alt	neu	cool	stressig	bekannt	offen/geöffnet
höflich	unhöflich	herzlich	teuer	einfach	satt
kalt	warm	interessant		fertig	typisch
klein	groß	kreativ	**Maße**	frisch	verboten
krank	gesund	lecker	hoch	international	verheiratet
langsam	schnell	lieb	breit	laut	wach
pünktlich	spät	lustig	lang	ledig	wichtig
früh	spät	nett			
richtig	falsch	schön	**Farben**		
		super	blau		
		toll	grün		
			rot		

Babakin), Nidderau; **115.2** stock.adobe.com (kamasigns), Dublin; **115.3** Shutterstock (footageclips), New York; **115.5** stock.adobe.com (dynamixx), Dublin; **116.1** Shutterstock (Hollygraphic), New York; **116.2** Shutterstock (Bildagentur Zoonar GmbH), New York; **118, 119.2** Tomaten, Äpfel, Gurken: stock.adobe.com (inna_astakhova), Dublin; **118, 119.5, 119.7, 120.5** Fleisch, Wurst, Eier, Brötchen, Bananen, Butter, Müsli: stock.adobe.com (Elena Schweitzer), Dublin; **118.1** Shutterstock (gresei), New York; **118.9, 122.4** Getty Images (Mny-Jhee), München; **118.10** Shutterstock (Lilkin), New York; **118.13** Salz: stock.adobe.com (janvier), Dublin; **118.14, 122.3** Joghurt: Shutterstock (Y Photo Studio), New York; **118.15, 122.2** Milch: stock.adobe.com (seen0001), Dublin; **118.17** Schinken: stock.adobe.com (nasimi), Dublin; **119.1** Shutterstock (Koldunova Anna), New York; **119.3** stock.adobe.com (profdr), Dublin; **119.4** stock.adobe.com (Anna Kucherova), Dublin; **119.6** stock.adobe.com (stockphoto-graf), Dublin; **120.1** Shutterstock (art-sonik), New York; **120.2** Shutterstock (Unkas Photo), New York; **120.3** Shutterstock (Jenny Sturm), New York; **120.4** Shutterstock (Elnur), New York; **120.6** Shutterstock (Iryna Denysova), New York; **122.1** Shutterstock (Christian Jung), New York; **122.5** 123RF.com (teodora1), Nidderau; **123.1** Shutterstock (JL-Pfeifer), New York; **124.1** Shutterstock (LightField Studios), New York; **126.1** Getty Images (fotokostic), München; **126.2** 123RF.com (peermarlow), Nidderau; **133.1** Shutterstock (stockyimages), New York; **133.2** Shutterstock (StockLite), New York; **133.3** Shutterstock (Lopolo), New York; **133.4** Shutterstock (Lopolo), New York; **133.5** Shutterstock (Sergey Kohl), New York; **133.6** Shutterstock (Jacob Lund), New York; **134.1** Shutterstock (zhukovvvlad), New York; **134.2** Shutterstock (Monkey Business Images), New York; **142.1** Shutterstock (lassedesignen), New York; **142.2** Shutterstock (makasana photo), New York; **142.3** stock.adobe.com (olly), Dublin; **142.4** Shutterstock (Patrizia Tilly), New York; **144.2** Shutterstock (Von Monkey Business Images), New York; **144.3** Shutterstock (Radu Bercan), New York

Audios
Aufnahme und Postproduktion: Andreas Nesic, Stuttgart
Sprecherinnen und Sprecher: Irene Baumann, Alexander Brehm, Chantal Busse, Julia Cortis, Philipp Falser, Niklas Graf, Sabine Harwardt, Anuschka Herbst, Kathrin Höhne, Vanessa Jeker, Simon Kubat, Detlef Kügow, Johannes Lange, Susannah Lawford, Stephan Moos, Charlotte Mörtl, Stefanie Plisch de Vega, Mario Pitz, Sarah Ravizza, Verena Rendtorff, Jakob Riedl, Helge Sturmfels, Benedikt Weber, Sabine Wenkums, Patrick Fromme, Johannes Kehrer, Susanne Schauf, Käthi Staufer-Zahner

Videos und Redemittel-Clips
Kamera: Martin Noweck, München
Ton: Sebastian Simon, München
Produktionsleitung: Jenny Scherling, München
Regie und Trickzeichnungen: Theo Scherling, München
Produktion: Bild & Ton, München
Postproduktion: Thomas Simantke
Darstellerinnen und Darsteller: Marco Wunderlich, Lena Kluger, Johannes Nagl, Mona Licht; Christina Hommel, Agnes Rosch, Jenny Roth
Musik: Feels Like Falling, Let's Go: Universal Production Music, Gordon De Menthon White

Wir danken allen, die uns bei der Realisierung des Projekts unterstützt haben:
Cafe Borstei, Maike Günther
Jugend des Deutschen Alpenvereins (JDAV)

Phonetik-Clips
Drehbuch und Umsetzung: Ulrike Trebesius-Bensch, Halle/Saale
Produktion: Sebastian Berres, Köln

Grammatik-Clips
Drehbuch: Sabine Harwardt
Produktion: media & more, Reutlingen
Geschäftsführer: Alexander Karl Müller
Aufnahmeleitung: Sigrid Kulik

Kurssprache

Das sagt der Lehrer / die Lehrerin:

 Lesen Sie.

 Berichten Sie.
Erzählen Sie.
Sprechen Sie.

 Markieren Sie.

 Hören Sie.

 Ergänzen Sie.

 Kreuzen Sie an.

 Schreiben Sie.
Notieren Sie.

 Unterstreichen Sie.

 Ordnen Sie zu.

Das sagen Sie:

Wie schreibt man das?

Wie heißt das auf Deutsch?

Ich habe eine Frage.

*Ich verstehe das nicht. /
Ich verstehe „…" nicht.*

Ist das richtig?

*Können Sie das
wiederholen, bitte?*

Noch einmal, bitte.

Der Kursraum

das Buch

das Heft

das Blatt

der Radiergummi

der Bleistift

das Wörterbuch

der Block

der Stift

die Tafel /
das Whiteboard

der Computer

der Beamer